Voluntad Cristo

Samael Aun Weor

CERTIFICADO DE GARANTÍA

AGEAC

La Asociación Gnóstica de Estudios de Antropología y Ciencias
como fiel cumplidora de la Tradición Gnóstica Hermética creada por el
V. M. SAMAEL AUN WEOR

CERTIFICA:
QUE EL TOTAL CONTENIDO DE LA PRESENTE OBRA:

"Voluntad Cristo"

ES COPIA FIDEDIGNA DEL ORIGINAL ESCRITO POR EL
V. M. SAMAEL AUN WEOR.
EN CONSECUENCIA EL LECTOR HA DE SABER QUE LA REDACCIÓN, EL ESTILO Y LA PUREZA DEL MENSAJE QUE HA QUERIDO TRANSMITIR EL AUTOR, HAN SIDO IMPECABLEMENTE RESPETADAS EN SU TOTALIDAD.

El Autor de esta obra ha dicho:

"... Hoy por hoy, mis queridos hermanos, y por siempre he renunciado y seguiré renunciando a los derechos de autor. Lo único que deseo es que estos libros se vendan en forma barata, al alcance de los pobres, al alcance de todos los que sufren y lloran... que el más infeliz ciudadano pueda conseguir este libro con los pocos pesos que lleve en su bolsa, eso es todo... En realidad de verdad, yo no tengo ninguna renta, no exijo nada por mis obras, quien quiera editarlas que las edite para bien de la humanidad"

Samael Aun Weor, Presidente Fundador de la Asociación Gnóstica de Estudios de Antropología y ciencias, Guadalajara, Jalisco, México, octubre 1976.

Impreso en México

Printed in Mexico

Voluntad Cristo
Samael Aun Weor

"La Voluntad
Cristo, es
poderosa, porque
sólo hace la
voluntad del
Íntimo,
así en la tierra
como en los
cielos."
Samael Aun Weor

INTRODUCCIÓN

"Y vi en la mano derecha del que estaba sentado sobre el trono un libro escrito de dentro y de fuera sellado con siete sellos."

"Y vi un fuerte ángel predicando en alta voz ¿Quién es digno de abrir el libro y de desatar sus sellos?".(Vers.1 y 2 Cap.5, Apocalipsis).

Este Libro Divino es el **Hombre** y los siete sellos, son las siete Serpientes Sagradas que tenemos que levantar sobre la vara tal como lo hizo Moisés en el desierto.

Este es el Gran Arcano.

En esta obra estudiamos los Misterios del Quinto Sello. En este libro estudiamos detenidamente los Grandes Misterios de la Voluntad Humana.

Mucho se ha escrito sobre la Voluntad, pero jamás nadie había estudiado los grandes misterios de la Voluntad Universal.

"Y vi otro ángel fuerte descender del cielo, cercado de una nube, y el arco celeste sobre su cabeza, y su rostro era como el Sol y sus pies como columnas de Fuego."

"Y clamó con grande voz, como cuando un león ruge: y cuando hubo clamado, siete truenos hablaron sus voces." (Vers.1 y 3, Cap.10, Apocalipsis).

Cuando el hombre ha levantado sus siete Serpientes, se convierte, en un ángel majestuoso, coronado con el arco iris (sobre su cabeza).

Este arco iris son las siete lenguas de fuego ardiente, que

nos convierten en Reyes y Sacerdotes del Universo.

Los siete truenos, son las siete voces, son las siete vocales, son las Siete Serpientes que nos convierten en Dioses Omnipotentes del Universo.

En este libro estudiamos los Misterios Grandiosos de la Voluntad.

Hay necesidad de Cristificar la Voluntad.

Tenemos necesidad de hacernos poderosos.

Queremos la Voluntad hecha Fuego.

Todos los grandes poderes del Universo se hallan encerrados en el sexo.

Todos los poderes terribles de la Creación dormitan en nuestros órganos creadores.

El Amor es el fundamento de la GRAN OBRA.

EL hombre y la mujer unidos sexualmente, pueden convertirse en monarcas terribles de la naturaleza.

Cuando un hombre y una mujer se unen sexualmente, algo se crea.

Los que quieran cristificar su Voluntad, deben practicar Magia Sexual con la mujer.

Los que quieran convertirse en Dioses, deben practicar Magia Sexual intensamente con la mujer.

Todo lo que no sea por ahí, es perder lamentablemente el tiempo.

Samael Aun Weor

CAPÍTULO I

HÁGASE TU VOLUNTAD

1.– Habéis visto, ¡Oh, Buddha!, a esos seres inefables que en el mundo de la Voluntad se inclinaban reverentes ante la majestad del Padre.

2.– *Hágase tu voluntad. ¡Oh! Dios Mío así en la tierra como en el cielo...*

3.– *"Padre mío, si es posible pasa de mí este cáliz, pero no se haga mi voluntad sino la tuya."*

4.– La voluntad debe arrodillarse ante el Íntimo.

5.– La voluntad debe humillarse ante la majestad del Padre.

6.– Si queremos Cristificar al cuerpo de la Voluntad, debemos hacer la voluntad del Padre así en la tierra como en los cielos...

7.– EL Padre y el Hijo son uno, empero el Hijo rebelde es débil ante la majestad del Padre.

8.– La Voluntad Cristo, es poderosa, porque sólo hace la voluntad del Íntimo, así en la tierra como en los cielos.

9.– Cuando la voluntad quiere actuar independientemente, sin hacer la voluntad del Padre, es voluntad débil.

10.– Debemos ceñir sobre nuestras sienes la corona de espinas del Maestro.

11.– La corona de espinas, simboliza la Voluntad Cristo.

12.- La Voluntad Cristo, es omnipotente, porque sólo hace la voluntad del Íntimo, así en la tierra como en los cielos.

13.- Cuando la voluntad humana se opone a la voluntad del Padre, comete un delito de lesa majestad contra el Íntimo.

CAPÍTULO II

EL DESPERTAR DEL FUEGO

1.– Has despertado tu Quinta Serpiente, para Cristificar el Cuerpo de tu Voluntad.

2.– Alégrate, ¡Oh! Iluminado Buddha, porque ahora tu voluntad humana se convertirá en Voluntad-Cristo.

3.– Un niño hermoso aparece en el mundo Causal, es el Cuerpo de tu Voluntad.

4.– Se abre una puerta de acero, semejante a la puerta de un jardín, entra hijo mío... Entra...

5.– Lleva, hermano mío, el Cuerpo de la Voluntad; tu hermoso niño, llévalo al templo para celebrar la fiesta.

6.– Obsérvalo bien, hermano de mi alma, en el hueso coxígeo del Cuerpo Causal, verás la Quinta Serpiente despierta.

7.– Se ha iniciado la marcha gloriosa, que culminará en la Cristificación total de la Voluntad...

8.– Ahora resplandecerá la Voluntad-Cristo...

9.– Ahora el Alma Humana se inclinará ante la Voluntad del Padre...

10.– Recibe hermano de mi alma tu anillo sagrado... y tu paño bendito...

11.– Un anciano decrépito, aparece en tu camino...

12.– El anciano ha hablado, y dice... *"Abandona las cosas terrenales"...*

13.– Escúchalo, hermano mío, escúchalo, ¡Oh, Buddha!

14.– Yo les digo a mis Arhat, que hay que liberar la voluntad de las cosas terrenales.

15.– Yo les digo a mis Arhat, que el Ego-Manas esconde entre su seno el peso insoportable de los siglos...

16.– Yo les digo a mis Arhat, que el tiempo sólo es un anciano marchito y decrépito, del cual debemos de liberarnos...

17.– Yo les digo a mis Arhat, que el Ego-Manas debe libertarse del peso de los siglos.

18.– En el plano Causal, se halla encerrada la memoria de la naturaleza, y el peso insoportable de los años.

19.– A través del tiempo, la voluntad humana se acostumbró a reaccionar incesantemente sobre las cosas terrenales, seducida por la mente humana.

20.– A través de las edades, la voluntad humana se dejó sugestionar por las cosas terrenales...

21.– La memoria del pasado y los preconceptos, convirtieron a la voluntad humana en una auto-barrera defensiva, dentro de la cual quedó prisionera el Alma humana.

22.– Todos esos prejuicios esclavizaron la voluntad humana a las cosas terrenales...

23.– El peso de los siglos, anciano, marchito y degenerado, esclavizó a las almas.

24.– Los prejuicios, los preconceptos, y el polvo de los años, desfiguraron la voluntad humana, conviertiéndola en un monstruo horrible, al servicio de la mente y del deseo.

25.– Ahora la Quinta Serpiente libertará a la voluntad humana de las cosas terrenales...

26.– Ahora la voluntad humana sacudirá el polvo de sus canas, y se convertirá en Voluntad -Cristo.

27.– Ahora, la voluntad humana sólo obedecerá las órdenes del Íntimo, porque ya la Divina Tríada se libertó de los cuatro cuerpos de pecado.

28.– A través de los Aeones, el temor y la búsqueda de seguridad, esclavizaron al Cuerpo de la Voluntad, convirtiéndole en una barrera de auto-defensa personal.

29.– Es el miedo y el ansia de seguridad, los que han convertido a la voluntad humana, en una pobre víctima de los cuatro cuerpos de pecado.

30.– Es el peso del pasado, es el polvo de los años, con todos sus prejuicios ancestrales, los que han convertido a la voluntad humana, en una miserable esclava de las cosas terrenales.

31.– Ha llegado el momento de libertar la voluntad humana de los prejuicios horribles y del ancesto tenebroso del miedo y de las apetencias.

32.– Alégrate, ¡Oh, Buddha!, de que ahora tu voluntad humana se convertirá en Voluntad-Cristo.

33.– Ha llegado el momento de libertar la voluntad humana de los viejos temores del pasado.

34.– Millares de escritores ignorantes han escrito volúmenes y más volúmenes sobre la voluntad, pero ¿Cuál de ellos ha hablado alguna vez de la Voluntad-Cristo?

35.– Paul Jagot, Atkinson, Mesmer, Marden, etc., que tanto hablaron sobre la voluntad, no fueron sino simples magos negros charlatanes, embaucadores, que sólo buscaron esclavizar la voluntad de los hombres, poniéndola al servicio de las bajas pasiones y de las cosas terrenales.

36.– Krisnamurti, no fue sino un analfabeto ignorante, que sólo supo ver la voluntad humana, pero no supo ver la Voluntad-Cristo.

37.– Krisnamurti, despreció a la pobre prisionera pero no fue capaz de quitarle los grillos dolorosos.

38.– Krisnamurti, sólo se quedó estudiando las cárceles de la voluntad, pero no fue capaz de abrirle las puertas a la pobre prisionera.

39.– Esas puertas de la pobre prisionera, sólo las podemos abrir con el Kundalini del Cuerpo de la Voluntad.

40.– Sólo entrando por las puertas de Olin, podemos romper las cadenas que tienen a la voluntad humana prisionera de las cosas terrenales.

41.– Sólo la llave del Kundalini nos permite abrir los cerrojos de la tenebrosa prisión donde la voluntad humana se halla prisionera.

42.– Debemos ceñir sobre nuestras sienes la corona de espinas del Maestro.

43.– El paño sagrado, el Divino Rostro, con su corona de espinas, simbolizan la Voluntad-Cristo.

44.– El Santo Sudario, o paño sagrado donde quedó estampado el rostro del Cristo, simboliza precisamente la Voluntad-Cristo.

45.– Cuando las santas mujeres limpiaron con el paño sagrado, el rostro del Cristo, quedaron terriblemente sorprendidas, al ver estampado el rostro del Maestro en el sagrado paño…

46.– Con este milagro, el Mártir del Calvario, nos enseñó el sendero de la Cristificación de la Voluntad.

47.– La voluntad debe arrodillarse ante la majestad del Íntimo.

48.– La voluntad sólo debe obedecer al Íntimo.

49.– La voluntad que obedece a los cuatro cuerpos de pecado, vive prisionera entre las cadenas de la amargura.

50.– *"Padre mío, si es posible pasa de mí este cáliz, pero no se haga mi voluntad sino la tuya."*

51.– La voluntad humana debe ceñir sobre sus sienes la corona de espinas.

52.– La Voluntad-Cristo, sólo hace la voluntad del Padre, así en los cielos como en la tierra.

53.– La Voluntad-Cristo es rebelde contra las cosas terrenales, porque sólo obedece la Voluntad del Padre.

54.– Cristo, no se doblegó ante Pilatos, ni dobló sus rodillas ante Caifás , porque la Voluntad-Cristo sólo se arrodilla ante la Voluntad del Padre.

55.– La Voluntad-Cristo es heroica, la Voluntad-Cristo sólo se inclina, y sólo se arrodilla ante la Voluntad del Padre.

56.– La Voluntad-Cristo sólo se arrodilla ante el Padre. La Voluntad-Cristo es sacrificio y amor filial al Padre.

57.– *La Voluntad-Cristo es el Hijo, el Cristo Cósmico, el Mártir del Calvario en nosotros, el Divino Rostro estampado en el paño sagrado.*

CAPÍTULO III

PROBISTMO

1.– Probistmo, es la ciencia que estudia las esencias mentales que encarcelan a la mente.

2.– Probistmo, es aquella sabiduría interna que nos permite estudiar las cárceles del entendimiento.

3.– Probistmo, es aquella ciencia pura que nos permite conocer a fondo los errores de las mentes individuales.

4.– El Buddha que está levantando su Quinta Serpiente sobre la vara, debe estudiar a fondo el probistmo, para conducir sabiamente el tren de la evolución humana sobre el carril espiral de la vida.

5.– Probistmo, es la ciencia de las "Pruebas Esotéricas."

6.– Todo Buddha, debe estudiar el Probistmo.

7.– La auto-evidencia y la auto-reflexión Búddhica, permiten llevar a nuestra intuición conceptos de contenido, que se traducen en intuitos divinales.

8.– Así es como os estáis preparando, hermano mío, para Hierofante de Misterios Mayores.

9.– La mente de los hombres, debe libertarse de toda clase de escuelas, religiones, sectas, partidos políticos, conceptos de patria y de bandera, etc.

10.– La mente humana debe libertarse del miedo y de las apetencias.

11.– La mente humana, debe libertarse de las ansias de acumulación, de los apegos, de los odios, de los egoísmos, de las violencias, etc.

12.– La mente debe libertarse de los procesos del razonamiento, que dividen a la mente entre el batallar de las antítesis.

13.– Una mente dividida por el proceso deprimente de la opción, no puede servir de instrumento al Íntimo.

14.– Hay que cambiar el proceso del razonamiento por la belleza de la comprensión.

15.– El proceso de la elección conceptual, divide la mente y de allí nace la acción errada y el esfuerzo inútil.

16.– El deseo de las apetencias, son trabas para la mente...

17.– Esas trabas conducen al hombre a toda clase de errores, cuyo resultado es el Karma.

18.– El miedo ejerce sobre la mente el deseo de seguridad.

19.– El deseo de seguridad, esclaviza a la voluntad, convirtiéndola en una prisionera de auto-barreras defensivas, dentro de las cuales se esconden todas las miserias humanas.

20.– El miedo trae toda clase de complejos de inferioridad.

21.– El miedo a la muerte, hace que los hombres se armen y que unos con otros se asesinen.

22.– El hombre que carga revólver al cinto, es un cobarde, es un miedoso.

23.– El hombre valeroso, no carga armas, porque no le tiene miedo a nadie.

24.– El miedo a la vida, el miedo a la muerte, el miedo al hambre, el miedo a la miseria, el miedo al frío y a la desnudez, engendra toda clase de complejos de inferioridad.

25.– El miedo conduce a los hombres a la violencia, al odio, a la explotación, etc.

26.– El Probistmo, es la ciencia que permite a los Hierofantes de Misterios Mayores, conocer el grado de evolución alcanzado por cada discípulo.

27.– Todo Buddha debe estudiar a fondo el Probistmo, para conocer a fondo las cárceles del entendimiento.

28.– La mente de los hombres, vive de cárcel en cárcel, y cada cárcel es una escuela, una religión, un concepto errado, un prejuicio, un deseo, una opinión, etc.

29.– La mente humana debe aprender a fluir serenamente en forma integral, sin el proceso doloroso de los razonamientos, que la dividen entre el batallar de las antítesis.

30.– La mente debe volverse como un niño, para que pueda servirle de instrumento al Íntimo.

31.– Debemos vivir siempre en el presente, porque la vida es tan solo un instante eterno.

32.– Debemos de libertarnos de toda clase de preconceptos y deseos.

33.– Debemos movernos únicamente bajo los impulsos del Íntimo.

34.– Debemos contentarnos con los derechos de Canchorrita.

35.– Los derechos de Canchorrita son: Pan, Abrigo y Refugio.

36.– En el Planeta Venus, vive una humanidad muy evolucionada.

37.– Los habitantes de Venus, la Estrella de la Aurora, son verdaderos artistas.

38.– Cada familia Venusina, construye su bella mansión, su huerto y su jardín.

39.– Ese es el orden cósmico; cuando los habitantes de la Tierra se sujeten a este orden cósmico, desaparecerán los problemas económicos del mundo para siempre.

40.– El ser humano tiene derecho a vivir diferentemente, con dignidad y belleza, porque no es un cerdo, empero, debe contentarse con los derechos de Canchorrita.

41.– La codicia, la ira y la lujuria, tienen su guarida en la mente.

42.– La codicia, la ira y la lujuria, conducen las Almas al Avitchi.

43.– El hombre no es la mente.

44.– La mente es tan solo uno de los cuatro cuerpos de pecado.

45.– Cuando el hombre se identifica con la mente va al abismo.

46.– La mente es tan solo el pollino, en el que debemos montar para entrar en la Jerusalén Celestial en Domingo de Ramos.

47.– Hay que manejar la mente por medio de la voluntad.

48.– Cuando la mente nos asedie con representaciones inútiles, hablémosle a la mente así:

49.– *"Mente, retírame esa representación, no te la acepto, tú eres mi esclava y yo soy tu Señor."*

50.– Cuando la mente nos asedie con reacciones de odio, miedo, cólera, apetencias, codicia, lujuria, etc.

hablémosle a la mente así:

50.– *"Mente, retírame estas cosas, no te las acepto, yo soy tu amo, yo soy tu Señor y tú debes obedecerme, porque tú eres mi esclava hasta la consumación de los siglos."*

51.– Ahora necesitamos Hombres de Thelema, Hombres de Voluntad, que no se dejen esclavizar por la mente.

52.– El Buddha que está Cristificando su Voluntad, debe estudiar a fondo el Probitsmo, para conocer sabiamente todas las esencias de la mente, todas las cárceles del entendimiento.

53.– Así es como el Hierofante de Misterios Mayores puede conducir sabiamente el tren de la evolución humana.

CAPÍTULO IV

EL PRIMER CAÑÓN

1.– Tu Quinta Serpiente ha entrado en la primera vértebra espinal del Cuerpo de la Voluntad, la primera carta del Tarot.

2.– Se abre un templo majestuoso con un enorme altar, sobre el cual está extendido un gran paño sagrado.

3.– Los verdugos te azotan, las multitudes enfurecidas gritan: *"Crucifixia, Crucifixia, Crucifixia."*

4.– Ahora marcháis, ¡Oh, Buddha! con tu cruz a cuestas, rumbo hacia el calvario.

5.– Lloran las santas mujeres junto a ti, te apedrean las multitudes, y la corona de espinas traspasa tus sienes adoloridas...Perdona a las multitudes y bendícelas...

6.– En los templos una música deliciosa resuena con sus dulces melodías.

7.– La Serpiente del Cuerpo de tu Voluntad ya inició su marcha hacia el Calvario, y habéis ganado el Primer Grado de la Voluntad-Cristo, El Mago del Tarot.

8.– Nosotros tenemos Siete Serpientes Sagradas: dos grupos de a tres, con la coronación sublime de la Séptima Lengua de Fuego, que nos une con el Uno, con la Ley, y con el Padre...

9.– Estas Siete Culebras Sagradas pertenecen a los Siete Cuerpos del Hombre.

10.– Cuando nosotros éramos elementales teníamos esas Siete Culebras sobre la vara, pero cuando comimos del fruto del árbol prohibido, las Siete Culebras bajaron y quedaron encerradas y prisioneras en el centro coxígeo.

11.– Ahora el hombre tendrá que ir levantando sus Siete Culebras sobre la vara, tal como lo hizo Moisés en el desierto.

12.– Cada Culebra se irá levantando en orden sucesivo.

13.– La Primera Culebra se levanta con la Primera Iniciación de Misterios Mayores, la Segunda con la Segunda Iniciación, la Tercera con la Tercera Iniciación, la Cuarta con la Cuarta Iniciación, la Quinta con la Quinta Iniciación, la Sexta con la Sexta Iniciación, y la Séptima con la Séptima Iniciación.

14.– Cada uno de nuestros cuerpos de pecado, debe ser reemplazado por un cuerpo de belleza.

15.– Con la Culebra del Cuerpo Físico elaboramos el Cuerpo de la Liberación, hecho del más puro almizcle.

16.– Con la Culebra del Cuerpo Etérico, elaboramos el Soma Puchicón o Cuerpo de Oro.

17.– Con la Culebra del Cuerpo Astral, formamos el Yo-Cristo.

18.– Con la Culebra del Cuerpo Mental, formamos la Mente-Cristo.

19.– Así pues, el Cuerpo de la Liberación, el Soma Puchicón, el Yo-Cristo y la Mente-Cristo, reemplazan a los Cuerpos Físicos, Vital, Astral y Mental.

20.– Así pues, el fuego hace nuevas todas las cosas, y el Hombre Celestial reemplaza al Hombre Terrenal.

21.– Las Siete Serpientes, se levantan sobre su vara,

practicando Magia Sexual con la esposa sacerdotisa.

22.– Puede haber conexión sexual, pero no debe derramarse ni una gota de semen.

23.– El deseo refrenado, hará subir nuestro líquido seminal hacia arriba, hacia la cabeza, y nos convertiremos en Dioses Omnipotentes del Universo.

24.– Así es como vamos levantando nuestras Siete Serpientes sobre la vara, tal como lo hizo Moisés en el desierto.

25.– Empero, los solteros y solteras transmutarán su energía sexual, con la música, con la devoción, con la oración y con el amor a Dios y al prójimo.

26.– Los solteros hacen subir cada una de sus Siete Serpientes con la fuerza del Sacrificio.

27.– La abstención sexual es un tremendo sacrificio.

28.– Sólo el Sendero de la Castidad y de la Santidad nos llevan a las grandes realizaciones.

29.– Sólo la Senda de la Perfección, el servicio desinteresado en favor de la pobre humanidad doliente, nos llevan a las dichas inefables del Nirvana.

30.– *Sed puro hermano mío, sed perfecto, sed casto, en pensamiento, palabra y obra.*

31.– Avanza, ¡Oh, Buddha! avanza con tu cruz a cuestas, hacia el Gólgota del Padre... Empezásteis la jornada con la primera carta del Tarot.

CAPÍTULO V

EL SEGUNDO CAÑÓN

1.– La Alquimia Sexual, pone en actividad terribles poderes cósmicos, que os dan acceso a cada una de las treinta y tres cámaras sagradas del Cuerpo de la Voluntad.

2.– Avanza, ¡Oh, Buddha! avanza, los tenebrosos te cierran el paso, véncelos hermano mío, véncelos, con el filo bien templado de tu espada.

3.– Resplandece la luz inefable dentro de tu propia habitación.

4.– Deja tus zapatos fuera del recinto, y entra, ¡Oh, Buddha!...

5.– Tu Quinta Culebra ha entrado en la segunda vértebra de la columna espinal del Cuerpo de la Voluntad. La Sacerdotisa del Tarot. La carta dos.

6.– Una música inefable resuena deliciosamente en los ámbitos divinos del templo...

7.– Hay alegría en el mundo de las causas naturales. Esa es la sabiduría oculta de la lámina dos del Tarot.

8.– El Cuerpo de la Voluntad, se está convirtiendo en Voluntad-Cristo.

9.– El Ego-Manas se está libertando de las cosas materiales.

10.– La Voluntad-Cristo siempre sabe obedecer al Padre.

11.– La voluntad humana debe libertarse de toda clase de limitaciones.

12.– La voluntad debe libertarse de toda clase de preconceptos.

13.– La voluntad debe libertarse de toda clase de prejuicios.

14.– La voluntad no debe seguir convertida en simples barreras del miedo…

15.– La voluntad, no debe ser más sometida a las apetencias.

16.– La voluntad humana debe convertirse en Voluntad-Cristo, para comprender la vida en su libre movimiento.

17.– La voluntad no debe ser un simple instrumento de miedo.

18.– La voluntad no debe seguir esclavizada por los preconceptos amasados con el polvo de los siglos.

19.– La voluntad debe volverse un niño.

20.– El Ego-Manas debe aprender a vivir siempre en el presente, porque la vida es un instante eterno.

21.– La voluntad debe libertarse de las cosas terrenales y entregarse totalmente en los brazos del Padre.

22.– Avanza, ¡Oh, Buddha!, avanza…

CAPÍTULO VI

LA TERCERA CÁMARA

1.– El Fuego Sagrado del Cuerpo de la Voluntad ha penetrado ahora en la Tercera Cámara Espinal.

2.– Resuena una trompeta extraña...

3.– Salid ahora, ¡Oh, Buddha! Salid con tu Guru...

4.– Recibe en el templo, hermano mío, la Runa Hagal, la estrella de seis puntas, el hálito divino de la música sagrada de Dios.

5.– Resplandece la Estrella Sagrada, con un brillo inefable.

6.– Habéis entrado en el reino de la música...

7.– Deliciosas melodías inefables resuenan en los ámbitos divinos del mundo causal...

8.– Sinfonías exquisitas, imposibles de describir con palabras humanas.

9.– Habéis ingresado ahora hermano mío, al Colegio de la Música del mundo Causal, o mundo de la Voluntad...

10.– Un gran profesor de música, dirige ese sagrado Colegio...

11.– Este Maestro de la música, os da la bienvenida...

12.– Este profesor es un genio del arte divino, oficiando en el Templo de la Música...

13.– Su cabello largo y canoso, su rostro que parece un relámpago, revela claramente la majestad de Dios...

14.– Todos los discípulos de este sagrado Colegio de la Música, somos Buddhas.

15.– Ahora el viejo profesor estrecha tu mano cariñosamente, y te enseña un saludo secreto, con el que se reconocen los Adeptos...

16.– La Voluntad-Cristo es música inefable.

17.– El mundo de la voluntad, es el de la música...

18.– La música da a la voluntad la armonía inefable de los Dioses.

19.– La música y la voluntad, forman un maridaje de Amor, imposible de describir con palabras humanas.

20.– La música da a la voluntad el étnico conjunto de la belleza...

21.– La música da a la voluntad, la armonía del gran diapasón cósmico.

22.– Los actos volitivos de la música, son tan armoniosos y solemnes como el movimiento de las estrellas en el espacio...

23.– Mientras el Quinto Grado del Poder del Fuego, no haya entrado en la Tercera Cámara Espinal del Cuerpo de la Voluntad, los actos volitivos no estarán de acuerdo con las vibrantes armonías de las solemnes sinfonías cósmicas.

24.– La voluntad alejada de la música, es tosca y ruda, como la caricia de la bestia felina...

25.– Empero cuando ya el Fuego Sagrado ha penetrado en la Tercera Cámara Espinal del Cuerpo de la Voluntad, las acciones volitivas son verdaderas sinfonías vivientes...

26.– La Voluntad-Cristo tiene la majestad de la tempestad y el amor del lucero de la mañana...

27.– La música da a la voluntad esa euritmia de un Apolo, y esa belleza de la Venus de Milo...

28.– La voluntad de la música, es el phalo de los Dioses...

29.– Los Maestros de la música, son columnas del templo del Dios vivo...

30.– La música engendra acciones tan perfectas como las armonías del diapasón cósmico.

31.– Todo el Universo es el Templo de la Música...

32.– Arturo Shopenhauer, en su libro titulado: *"El Mundo como Representación y Voluntad"*, concibe la naturaleza como representación de la voluntad.

33.– Empero olvidó que la voluntad es música...

34.– Cada flor viviente, el suspiro de cada ave, y el amor escondido entre el pecho de la Tierra, es la encarnación viviente de la música...

35.– Cada cosa en la naturaleza tiene su nota clave, y el conjunto de todas esas notas constituyen aquel tono soberbio de la Gran Madre, que resuena entre el espacio ardiente con el Kung Chino...

36.– Cuando José tocó la trompeta, cayeron los muros de Jericó, porque dió en la nota clave de esos muros invictos...

37.– Una palabra suave, apacigua la ira, y las palabras discordantes rompen la armonía del diapasón cósmico y engendran desórdenes...

38.– Las orquestas inefables del Cinturón Zodiacal resuenan en el mundo de la Voluntad, llevándonos hasta las cumbres más sublimes del Shamadi.

39.– Los grandes ritmos del fuego producen las danzas de las estrellas en los espacios inconmensurables.

40.– La voluntad de la música, sostiene el flujo y reflujo de la vida y mueve el péndulo de las existencias infinitas durante todo el Mahamvantara.

41.– El Verbo está encarnado en el corazón de cada loto y en la pulsación de toda vida.

42.– *"En el principio era el Verbo, y el Verbo era con Dios, y el Verbo era Dios."*

"Este era en el principio con Dios."

"Todas las cosas por él fueron hechas; y sin él nada de lo que es hecho, fué hecho."

"En él estaba la vida, y la vida era la luz de los hombres."

"Y la luz en las tinieblas resplandece; más la tinieblas no la comprendieron."

"Fué un hombre enviado de Dios, el cual se llamaba Juan."

"Este vino por testimonio, para que diese testimonio de la luz."

"No era él la luz, sino para que diese testimonio de la luz."

"Aquél era la luz verdadera, que alumbra a todo hombre que viene a este mundo."

"En el mundo estaba, y el mundo fué hecho por él; y el mundo no le conoció."

"A lo suyo vino, y los suyos no le recibieron."

"Mas a todos los que le recibieron, dióles potestad de

ser hechos hijos de Dios, a los que creen en su nombre."

"Los cuales no son engendrados de sangre, ni de voluntad de carne, ni de voluntad de varón, mas de Dios."

"Y aquel Verbo fué hecho carne, y habitó entre nosotros (y vimos su gloria, gloria como del unigénito del Padre), lleno de gracia y de verdad" (Vers. 1 al 14 Cap. 1 : San Juan).

43.– La música es Voluntad de Dios…

44.– La música es Voluntad-Cristo.

45.– La música clásica engendra Universos, y sostiene soles durante el gran día cósmico…

46.– Uno se queda arrobado al escuchar composiciones, como las nueve sinfonías de Beethoven…

47.– Uno se queda anonadado cuando se extasía entre las notas de Mozart, de Chopin y de Litz…

48.– Toda acción recta, es música de luz…

49.– Toda acción errada, es música fatal.

50.– La música negativa, como el mambo, la guaracha, el porro, la cumbia, etc., es música infernal, es música del abismo que sólo origina fornicaciones, adulterios, odios, banqueteos, borracheras, crímenes, etc.

51.– Con esto probamos que la voluntad es música, y que toda acción es hija de la música.

52.– Las marchas de guerra, enardecen a los hombres y los llevan a la violencia.

53.– Las marchas fúnebres, llenan los ojos de lágrimas, y producen confusión de rostros y amarguras.

54.– Las palabras humanas son música articulada, a veces dulces y apacibles, como melodías inefables, a veces satánicas y discordantes como notas infernales…

55.– La palabra articulada es un arma terrible, tanto para el bien como para el mal.

56.– Cuando la humanidad no había salido del Edén solo parlaba el Verbo de la Luz, que como un río de oro se deslizaba dulcemente bajo las selvas espesas del Sol.

57.– En ese verbo inefable de los Dioses, parla la naturaleza entera, entre la profundidad inefable de la música.

58.– El verbo de los Dioses, es música sagrada.

59.– Ese verbo divino, tiene su alfabeto sagrado, y ese alfabeto sagrado son las Runas Divinas *(Véase "Rosa Ígnea", por el mismo autor).*

60.– La laringe creadora, es el órgano sexual de la Voluntad-Cristo.

61.– El Verbo de los Dioses pone en existencia a los mundos.

62.– El Verbo de los Dioses, es Voluntad-Cristo.

63.– Los Mantrams Sagrados: Chis, Ches, Chos, Chus, Chas, desarrollan y desenvuelven totalmente los Chacras del Cuerpo Astral.

64.– *CHIS, para la Clarividencia.*

CHES, para el Oído Oculto.

CHOS, para el Corazón.

CHUS, para el Plexo Solar.

CHAS, para los Chacras Pulmonares.

65.– Nuestros discípulos vocalizarán una hora diaria estos mantrams para que desarrollen los Chacras de su Cuerpo

Astral, y puedan percibir los mundos internos.

66.– Las vocales de estos mantrams, deben saberse pronunciar para que produzcan su resultado positivo.

67.– Hay que vocalizar prolongando el sonido lo más que se pueda.

68.– Hay que vocalizar la ***S***, como un sonido sibilante y agudo semejante a aquél que producen los frenos de aire comprimido, un sonido prolongado, un sonido sibilante…

69.– Esta es la forma de pronunciarlo:

CHIIIIIIIIIIIIIIIIIIIIIIIIISSSSSSSS

CHEEEEEEEEEEEEEEEESSSSSSSSS

CHOOOOOOOOOOOOOSSSSSSSSS

CHUUUUUUUUUUUUSSSSSSSSS

CHAAAAAAAAAAAAASSSSSSSSS

70.– Con esta aclaración queremos decir, que se debe prolongar el sonido de cada uno de los mantrams: *CHIS, CHES, CHOS, CHUS, CHAS.*

71.– Se entiende que el sonido de estos mantrams se prolonga alargando el sonido de las vocales y el silbido de la ***S***.

72.– Los poderosísimos mantrams del gran Verbo de la Luz, desarrollan totalmente los Chacras del Cuerpo Astral de nuestros discípulos.

73.– El Verbo de Oro resuena en todo lo creado.

74.– El Verbo de Oro es Voluntad-Cristo.

75.– Alégrate, ¡Oh, Buddha! porque ahora entraste en el Templo de la Música.

76.– Estudiad con paciencia el arte divino de la música.

77.– Desde este instante, el profesor de este Colegio Sagrado os enseñará la Música-Voluntad.

78.– La Música-Voluntad es Voluntad-Cristo.

79.– La Voluntad-Cristo es el Verbo…

80.– La Voluntad-Cristo es Música.

81.– Cristo fue la encarnación del Verbo.

82.– El Verbo se hizo carne y habitó entre nosotros.

83.– A los suyos vino, pero los suyos no lo recibieron.

84.– “Y la Luz en las tinieblas resplandece; más las tinieblas no la comprendieron.”

CAPÍTULO VII

LA TRANSMUTACIÓN

1.– Hemos entrado ahora en el Arcano *21* del Tarot.

2.– Si sumamos este número entre si, nos da la cifra *3*, que pertenece al grado tres del Cuerpo de la Voluntad.

3.– Esta es la Cámara Sagrada del templo de la Música.

4.– La transmutación del agua en vino dentro de la matriz de nuestro propio laboratorio orgánico, solo es posible dominando el impulso animal por medio de la Voluntad-Música.

5.– Ya sabemos que la voluntad es la misma música, y es por ello que afirmamos que la Música-Voluntad, nos permite transmutar nuestro semen en energía crística.

6.– Así pues, la Magia Sexual es música inefable, es melodía exquisita, transmutando el semen en el vino de luz del Alquimista.

7.– Si tenemos en cuenta que sólo por medio de la fuerza de la voluntad podemos refrenar el acto sexual para transmutar el agua en vino, entonces llegamos a la conclusión lógica de que la música, es la única que puede abrirnos las secretas cámaras de la columna espinal.

8.– Empero, no debemos establecer ningún abismo entre la música y la voluntad, porque música y voluntad son una misma cosa.

9.– La Alquimia Sexual, sólo es posible aprendiendo a

pulsar la lira de nuestra voluntad.

10.– Este es el Arcano Veinte y uno del Tarot. Ese es el grado Tres de la Quinta Serpiente.

11.– La música convierte a los hombres en Dioses.

12.– Aquellos que todavía sean débiles de voluntad, deben cantar diariamente la Runa Thorn.

13.– Este ejercicio se realizará poniendo el discípulo su mano derecha sobre la cintura o cadera, y luego vocalizará las sílabas:*TI—TE—TO—TU—TA,* alargando el sonido de cada vocal. Enseguida vocalizará el mantram *THORN*, así:

Toooooooooooorrrrrrrrrrnnnnnnnnnnnn.

14.– Con esta indicación, queremos afirmar que se debe alargar el sonido de cada letra.

15.– Sabemos que la Magia-Sexual es muy ardua y muy difícil para los hombres de voluntad débil, y por ello recomendamos a nuestros discípulos practicar primero los ejercicios de la Runa Thorn, para adquirir la fuerza de voluntad que les permita manipular con heroísmo la Magia Sexual.

16.– La Música-Voluntad, actúa sobre nuestra agua (semen), transmutándola en energía Crística, es decir en el Vino de Luz del Alquimista.

17.– La Runa Thorn, es solar, y está gobernada por el signo zodiacal de Libra.

18.– Ya sabemos que el signo zodiacal de Libra gobierna los riñones.

19.– En nuestros riñones existen dos chacras que registran nuestro grado de castidad, o nuestro grado de fornicación animal.

20.– Por ello es que la Biblia dice lo siguiente:

21.– *"Mas tengo unas pocas cosas contra ti porque permites aquella mujer Jezabel (que se dice profetisa) enseñar, y engañar a mis siervos, a fornicar, y a comer cosas ofrecidas a los ídolos."*

"Y le he dado tiempo para que se arrepienta de la fornicación; y no se ha arrepentido."

"He aquí , yo la echo en cama, y a los que adulteran con ella, en muy grande tribulación, si no se arrepintieren de sus obras."

"Y mataré a sus hijos con la muerte; y todas las iglesias sabrán que yo soy el que escudriñó los riñones y los corazones; y daré a cada uno de vosotros según sus obras." (Vers. 20 a 23, Cap. 2; Apocalipsis).

22.– El clarividente puede observar en los chacras de los riñones, un color rojo sucio en el fornicario, y un color blanco inmaculado en el casto.

23.– El color de la Runa Thorn es anaranjado, verde y amarillo. La piedra preciosa de esta Runa es el carneol, y el metal es el oro.

24.– La Música-Voluntad, es el Sagrado Arcano de la TRANSMUTACIÓN.

25.– La música nos permite transmutar el agua en vino.

26.– La Cámara Tres de nuestra Quinta Serpiente es el Templo inefable de la Música.

CAPÍTULO VIII

LA CUARTA CÁMARA

1.– Una orquesta deliciosa resuena en el mundo de las causas naturales.

2.– Entra al templo, ¡Oh, Buddha!, para que recibas tu simbólico escudo.

3.– El Fuego Sagrado de tu Quinta Serpiente ha entrado en la Cuarta Cámara de tu Cuerpo de Voluntad.

4.– Iza tu bandera, Emperador vencedor.

5.– Asiste a la cena de luz, ¡Oh, Buddha!

6.– El Arcano Cuarto, es el Emperador del Tarot, y es justo de que recibas tu escudo, y que ices tu bandera, para que imperes en el mundo de la Voluntad.

7.– Esta es la bandera de la Virgen…

8.– Esta es la bandera de la Diosa Naturaleza, Isis, Adonía, Astarté.

9.– Uno es el Padre, Dos la Madre, Tres el Hijo, y Cuatro la Familia.

10.– La bandera de la gran Diosa, es el símbolo de la familia Universal, es el símbolo de lo creado.

11.– El valor numérico del signo Olin de los Aztecas es cuatro.

12.– Ahora resúmese en ti mismo, ¡Oh, Buddha!, las cuatro características de la Esfinge.

13.– Tienes la inteligencia de los Dioses, la intrepidez del león, la tenacidad del buey y las alas majestuosas del Espíritu.

CAPÍTULO IX

VOLUNTAD Y DESEO

1.– Voluntad y deseo son los dos polos de una misma cosa.

2.– La voluntad es positiva, y el deseo es negativo.

3.– Muchos confunden la voluntad con el deseo, y el deseo con la voluntad.

4.– Empero, la voluntad y el deseo son los dos polos, positivo y negativo del hombre.

5.– Ahora tú, ¡Oh, Buddha!, debes cambiar la sensación-deseo por la sensación-voluntad.

6.– Hace mucho tiempo abandonaste el deseo, pero ahora debes olvidar hasta el conocimiento mismo del deseo.

7.– Antes practicabas tu rito de Magia Sexual con el incentivo ardiente del deseo.

8.– Ahora, ¡Oh, Buddha! debes practicar tu rito de Magia Sexual sin el incentivo ardiente del deseo.

9.– Antes dominabas el deseo por medio de la voluntad, y ahora el deseo en ti no tiene derecho a existir.

10.– No solamente hay que abandonar el deseo, sino que además hay que acabar con la provocación del deseo.

11.– El deseo-provocación, debe transformarse en Voluntad-Cristo.

12.– Los discípulos, sólo pueden practicar Magia Sexual sin el ardiente incentivo del deseo.

13.– Pero tú, ¡Oh, Buddha!, sólo puedes practicar tu culto de Magia-Sexual con la Voluntad-Sensación, que es la Voluntad-Cristo.

14.– El Cuerpo de la Voluntad, también tiene sus sensaciones propias, que nada tienen que ver con las sensaciones del cuerpo de deseo.

15.– La Sensación-Voluntad, es Sensación-Espíritu, es Sensación-Cristo.

16.– La sensación del Cuerpo de la Voluntad, nada tiene que ver con la sensación de los cuatro cuerpos de pecado.

17.– La sensación del Cuerpo de la Voluntad es Sensación-Espíritu.

18.– La sensación del Cuerpo de la Voluntad, es Sensación-Cristo.

19.– La Sensación-Espíritu es plenitud, es luz, es divinidad.

20.– La Voluntad-Sensación es positiva, el Deseo-Sensación es negativo.

21.– El Buddha sólo practica su Rito de Magia Sexual, con la Voluntad-Cristo, y no con el deseo.

22.– La mujer es nuestra Sacerdotisa, con la cual transmutamos el agua en vino, y levantamos nuestras Siete Serpientes sobre la vara, tal como lo hizo Moisés en el desierto.

23.– La mujer es la puerta de entrada al Edén, la mujer es el pensamiento más bello del Creador.

24.– La Magia Sexual nos lleva a las grandes realizaciones cósmicas.

CAPÍTULO X

ASPECTOS DE LA VOLUNTAD

1.– La voluntad humana reviste los más variados aspectos.

2.– Ahora deberás entender, ¡Oh, Buddha!, los variados aspectos de la voluntad.

3.– Las altas esferas del mundo social están llenas de fornicación e inmundicia.

4.– ¿Viste, ¡Oh, Buddha!, ese juego de damas en el mundo de la aristocracia?

5.– Dentro de cada aposento, una pareja de fornicarios, y al pie de cada puerta una dama juguetona impidiendo la salida de la pareja.

6.– Ahora comprenderéis , hermano mío, como jugando con la voluntad nos convertimos en carceleros de las voluntades ajenas.

7.– Ahora comprenderéis, hermano mío, como los juegos sociales de la aristocracia sirven para esclavizar las almas dentro de las cárceles inmundas de la fornicación y del adulterio.

8.– Ya véis hermano mío, como jugando con juegos sociales se pueden esclavizar las almas.

9.– Ahora comprenderéis , ¡Oh, Buddha!, el terrible poder de la voluntad.

10.– La voluntad es un poder explosivo, con el que no se

puede jugar.

11.– Jugando una dama hace caer a otra, y se convierte en su carcelera.

12.– Jugando juegos sociales de salón, adulteran las señoras.

13.– Los juegos sociales de las altas esferas sociales son pura y legítima magia negra.

14.– Con juegos sociales las almas seducen a las almas, quitándoles su libertad.

15.– La voluntad es un poder muy peligroso, con el que no se puede jugar.

16.– Ya viste, ¡Oh, Buddha!, lo que es la provocación.

17.– Habéis vencido sutiles tentaciones…

18.– Ya habéis entendido, hermano mío, lo que es el buen uso de la voluntad.

19.– Ya habéis comprendido que debéis respetar la voluntad ajena, y el libre albedrío de los demás.

20.– Ya habéis aprendido a no coaccionar las voluntades ajenas.

21.– Enormes multitudes te siguen, ¡Oh, Buddha!, pero tú debes respetar las voluntades humanas.

22.– Debes ser servidor de la humanidad doliente, pero no un esclavizador de voluntades ajenas.

23.– Hay que respetar el libre albedrío de los demás, para convertir la voluntad humana en Voluntad-Cristo.

CAPÍTULO XI

LA QUINTA CÁMARA

1.– Entrad al Templo de la Música, ¡Oh, Buddha!, para que recibas tus lecciones.

2.– Brilla el Sol del Padre con todo su esplendor.

3.– Vuela una avecilla dulcemente, cantando entre el bosque.

4.– Sube tu Quinta Serpiente a la quinta vértebra espinal del Cuerpo de tu Voluntad.

5.– Entra en tu Quinta Cámara, para celebrar tu fiesta.

6.– Ya habéis aprendido a respetar la voluntad ajena. Esta es la carta *5* del Tarot: El Jerarca.

7.– Ya habéis dominado el defecto de los celos, porque aprendiste, ¡Oh, Buddha! a respetar la voluntad ajena.

8.– Habéis aprendido a respetar la voluntad de tus familiares, y la voluntad de todo ser viviente.

9.– Ahora comprenderéis, hermano mío, lo que es respetar el libre albedrío de los demás.

10.– El fuego va purificando poco a poco, el Cuerpo Causal o Cuerpo de la Voluntad.

11.– Es imposible purificar el cuerpo físico, o los cuerpos Vital, Astral, Mental, Causal, o nuestros vehículos Buddhico y Atmico, sin el poder maravilloso del Fuego.

12.– Aquellos que aguardan purificar primero la mente, para luego comenzar a practicar Magia Sexual, se parecen al basurero idiático que quiere purificar el muladar sin encender el fuego.

13.– Con el fuego quemamos las escorias, y purificamos nuestros vehículos internos.

14.– Empero el fuego sólo se enciende practicando Magia Sexual.

15.– INRI (*Ignis Natura Renovatur Integram*). El fuego renueva incesantemente la Naturaleza.

CAPÍTULO XII

LA SEXTA CÁMARA

1.– Tu Fuego Sagrado ha llegado a la Sexta Cámara de la columna espinal del Cuerpo de la Voluntad.

2.– Terribles poderes cósmicos inundan tu Ser.

3.– Observa, ¡Oh, Buddha!, a esa dama inefable que tras la reja te contempla.

4.– Es la Bella Elena... por la cual lucharon los héroes de la vieja Troya.

5.– Por ella pelearon los más ilustres guerreros de la antigua Hélade.

6.– Es la Bella Elena por la cual peleó Aquiles, el ilustre guerrero, al pie de los muros de Troya.

7.– Es tu Buddhi, tu Alma de Diamante, compenetrada en la Mente-Cristo.

8.– Entra al templo, Hermano mío, para celebrar la boda nupcial con la Bella Elena.

9.– Una marcha nupcial resuena en los ámbitos del templo, esta es la carta *6* del Tarot: El Enamorado.

10.– Ahora te desposas, ¡Oh, Buddha!, con la Bella Elena...

11.– La Bella Elena, es tu Conciencia Superlativa engendrada por tu Dios Divino en las tenebrosas aguas del espacio.

12.– Atma-Buddhi, es el Maestro Interno.

13.– Ahora, ¡Oh, Buddha!, te habéis elevado en Espíritu y en Verdad hasta la Bella Elena.

14.– Yo le digo a mis Arhat que el Ego-Manas debe elevarse hasta el Atma-Buddhi, para fusionarse con él.

15.– Yo les digo a mis Arhat que cuando la Voluntad Humana se fusiona con el Maestro Interno se hace Omnipotente.

16.– Yo les digo a mis Arhat, que cuando el Ego-Manas se fusiona con el Atma-Buddhi, se carga de todos los poderes inefables del Íntimo y se hace Omnipotente.

17.– Yo les digo a mis Arhat, que la Quinta Iniciación de Misterios Mayores es la Primera Iniciación del Nirvana.

18.– Yo les digo a mis Arhat, que la Quinta Serpiente, es la Tercera Serpiente cuando contamos empezando por Atman, y terminando con Stula Sarira *(El Cuerpo Físico)*.

19.– Yo les digo a mis Arhat, que en cada Buddha hay siete Buddhas.

20.– Yo les digo a mis Arhat, que nuestra *Divina Triada Eternal*, es Padre, Madre, Hijos, Esposa, Hermanos, buscandose a sí misma, y realizándose a sí misma.

21.– Yo le digo a mis Arhat, que todo Buddha tiene su Boddhisatwa.

22.– Yo le digo a mis Arhat, que el Boddhisatwa es el Alma Humana con los extractos anímicos de los cuatro cuerpos de pecado.

23.– Yo le digo a mis Arhat, que del Cuerpo Físico sacamos el Cuerpo de la Liberación.

24.– Yo le digo a mis Arhat, que del Cuerpo Etérico, sacamos el Cuerpo de Oro.

25.– Yo le digo a mis Arhat, que del Cuerpo Astral sacamos Alma Cristo: El Cristo Interno es el Glorian. El resplandeciente Dragón de Sabiduría.

26.– Yo le digo a mis Arhat, que del Cuerpo Mental sacamos la Mente Cristo.

27.– Así es como el cuaternario inferior viene a reforzar a la divina Triada Eternal.

28.– Mediante la relación sexual nos desposamos con la Bella Elena.

29.– Toda esta labor, es un trabajo de Alquimia Sexual.

30.– La Magia Sexual nos convierte en Dioses.

31.– El Íntimo es el Hijo del Yo-Cristo.

32.– El Yo-Cristo es el Glorian de cada Hombre.

33.– El Glorian es una chispa desprendida del Sol Central.

34.– El Sol Central es el Gran Aliento.

35.– El Gran Aliento es el Ejército de la Voz.

36.– El Ejército de la Voz son los Seres Divinos.

37.– Los Seres Divinos son El Cristo Cósmico, El Logos Solar, La Palabra.

CAPÍTULO XIII

CÁMARA SIETE

1.– Recordad, ¡Oh, Buddha!, aquéllos actos violentos de vuestras pasadas vidas.

2.– Ahora habéis visto lo que es el uso negativo de la Voluntad.

3.– La violencia, es el uso negativo de la Voluntad.

4.– Los celos vienen de los bajos mundos de la razón y del deseo.

5.– El hombre celoso, esclaviza a su mujer y hace mal uso de la Voluntad.

6.– Nadie debe esclavizar a nadie.

7.– Nadie debe ejercer coacción sobre la Voluntad de nadie.

8.– Hay que respetar el libre albedrío de los demás.

9.– Empero la mujer debe cumplir fielmente con sus deberes de hogar, no por coacción de la Voluntad de su marido, sino por Fe en el Señor.

10.– La mujer que abuse de su libertad, y que asista a banqueteos, borracheras, clubs sociales, etc., cae en la magia negra.

11.– El marido debe cuidar a su mujer como *vaso frágil*, pero respetando el libre albedrío de ella, para no ejercer coacción sobre la Voluntad de ella.

12.– *"Casadas, estad sujetas a vuestros maridos como conviene en el Señor."*

"Maridos, amad a vuestras mujeres, y no seáis desapacibles con ellas." (Vers.18 y 19 Cap. 3: Colosenses).

13.– El Fuego ha entrado en la Cámara Siete del Cuerpo de tu Voluntad.

14.– Esta Cámara está simbolizada por la Carta Siete del Tarot: El Carro de Guerra.

15.– Entra en tu Cámara para celebrar la fiesta, ¡Oh, Buddha!

CAPÍTULO XIV

CÁMARA OCHO

1.– Habéis entrado, ¡Oh, Buddha!, en la Cámara Ocho de la Columna Espinal del cuerpo de la Voluntad.

2.– Este es el Arcano Ocho del Tarot: La Justicia.

3.– Hay que saber perdonar a nuestros acusadores.

4.– Hay que saber perdonar a aquellos que nos traicionan.

5.– Hay que someterse pacientemente a la Ley y a la Justicia.

6.– La Prueba de Justicia es terrible, y muy pocos son los que la pasan.

7.– Aquel que proteste ante sus jueces y acusadores, fracasa en la prueba de Justicia.

8.– Aquellos que se desesperen ante sus jueces y acusadores, fracasan en la prueba de Justicia.

9.– Hay que permanecer indiferentes ante la alabanza y el vituperio, ante el triunfo y la derrota.

10.– *"Yo no soy más porque me alaben, ni menos porque me vituperen, porque yo siempre soy lo que soy."* (Kempis).

11.– El Fuego ha entrado en tu Cámara Ocho.

12.– Entra, ¡Oh, Buddha!, en esta Cámara para celebrar tu fiesta.

13.– El Fuego va Cristificando completamente tu Voluntad.

14.– La Voluntad Humana se va convirtiendo en Voluntad-Cristo.

CAPÍTULO XV

CÁMARA NUEVE

1.– Ahora estáis pasando, ¡ Oh, Buddha!, por un período de soledad.

2.– La Cámara Nueve es la Carta Nueve del Tarot: El Ermitaño.

3.– *"Yo soy solo, yo soy Dios, y donde yo estoy hay Dioses".*

4.– Realmente es difícil la entrada en esta Cámara.

5.– Pero tú debéis tener tenacidad y decisión, ¡Oh, Buddha!, que con paciencia abriréis esa Cámara.

6.– El número ***9*** es el número de la INICIACIÓN.

7.– El número ***9*** es medida de hombre.

8.– Realmente nosotros somos uno y somos nada.

9.– Realmente sólo hay un Ser que se expresa como muchos.

10.– Todos estamos dentro de todos, y somos uno solo dentro de la Eternidad.

11.– Las chispas se desprenden de las llamas, para realizarse como Maestros, y regresar a las llamas, y las llamas están dentro de las llamas entre las profundidades de ATMAN, el Innominado, el Espíritu Universal de vida, que se expresa como muchos, EL VERBO.

12.– *"Yo soy sólo, yo soy Dios, y donde yo estoy hay Dioses."*

13.– Cada ser humano es en el fondo una estrella.

14.– Dentro de cada ser humano existe una chispa divinal desprendida de una llama inefable. Esa llama es el Yo-Cristo.

15.– Antes que la chispa se desprendiera de la llama, era la llama misma.

CAPÍTULO XVI

CÁMARA DIEZ

1.– ¿Sabes, ¡Oh, Buddha!, lo que es el dolor de perder lo más amado?

2.– ¿Sabes tú, ¡Oh, Buddha!, lo que es perder aquello que más queremos?

3.– La rueda de la fortuna gira incesantemente, y nosotros prendidos a la rueda damos muchas vueltas.

4.– Esta es la Carta Diez del Tarot: La Retribución.

5.– ¿Veis, ¡Oh, Buddha!, ese gigantesco precipicio?

6.– ¿Veis esas rocas inexpugnables, y ese abismo aterrador?

7.– El Maestro se sostiene al borde de un abismo, y la rueda de la fortuna da muchas vueltas; el humilde será ensalzado y el ensalzado será humillado.

8.– *"Padre Mío, no me dejes caer en el abismo, no me dejes salir de la Luz."*

9.– Se abre una Cámara, entra hermano mío al templo incrustado entre las rocas vivas de este horrible precipicio.

10.– La puerta del templo se va abriendo lentamente, produciéndose un sonido profundo y misterioso, entra, ¡Oh, Buddha!, entra a tu Cámara para celebrar esta fiesta deliciosa.

11.– Ya veis, ¡Oh, Buddha!, el terrible precipicio.

12.– El Maestro se sostiene siempre en el borde de un abismo, y hasta los mismos ángeles pueden caerse.

13.– Ya veis, ¡Oh, Buddha!, lo que es la Alquimia Sexual, tu Quinta Serpiente va subiendo por la fina médula de tu Cuerpo Causal, conforme practicáis Magia Sexual intensamente con la mujer.

14.– Adelante, ¡Oh, Buddha!, adelante y no desmayes.

CAPÍTULO XVII

CÁMARA ONCE

1.– El Fuego Sagrado ha entrado en la Cámara Once de la Columna Espinal de tu cuerpo de Voluntad.

2.– Tres fichas blancas de forma redonda caen al suelo.

3.– Tres es el número de la Madre Celeste. Once es también el número de la Madre Celeste.

4.– El Arcano Once del Tarot, simboliza: ***La persuasión.***

5.– Esta lámina está representada por una figura hierática femenina, abriendo con sus manos delicadas las fauces terribles de un león.

6.– Ahora comprenderás, ¡Oh, Buddha!, lo que es la fuerza de la persuasión.

7.– Entra al templo, hermano mío para celebrar la fiesta.

8.– Una música deliciosa resuena con sus dulces melodías en el coral eterno del infinito.

9.– No seas tirano, os advierte un gran Hierofante.

10.– Ahora comprenderéis que la Voluntad-Cristo no tiraniza a nadie.

11.– La Voluntad-Cristo es música deliciosa, que se impone con la fuerza inefable de la persuasión.

12.– La Voluntad-Cristo, no es tiranía.

13.– La Voluntad-Cristo es la fuerza de la persuasión consciente entre las deliciosas sinfonías del Fuego Universal.

14.– Recibe tu alhaja en el dedo de Mercurio, y acuérdate, ¡Oh, Hermano! de la fuerza terrible de la persuasión.

CAPÍTULO XVIII

CÁMARA DOCE

1.– El Fuego ha entrado en la Cámara Doce de la Columna Espinal.

2.– Esta Cámara representa el Apostolado del Tarot: El Sacrificio.

3.– El Apóstol pende de una cuerda, sobre la profundidad del Abismo.

4.– El Maestro está colgado por los pies, sacrificado por la humanidad.

5.– La Voluntad-Cristo es sacrificio. La Voluntad-Cristo es Apostolado.

6.– El Arcano Doce, es sacrificio.

7.– Las Iniciaciones son pagos que le hacen al hombre cuando se le debe algo.

8.– Al que nada se le debe, nada se le paga.

9.– Los poderes internos se le confieren al hombre para pagarle lo que se le debe.

10.– Al que trabaja en la Gran Obra del Padre, se le paga lo que se le debe.

11.– Todo sacrificio en la Gran Obra, representa una deuda, que las Jerarquías tienen que pagarle al Apóstol.

12.– El Padre siempre le paga a sus hijos.

13.– A los Buddhas se les paga su trabajo.

14.– Toda Iniciación en el Nirvana, son pagos que se le hacen a los Buddhas.

15.– Un jardín delicioso resplandece en los mundos de la Luz, entra al Templo, ¡Oh, Buddha!, para celebrar la fiesta, en la Cámara doce de la Columna Espinal del cuerpo de tu Voluntad.

CAPÍTULO XIX

CÁMARA TRECE

1.– El Fuego Sagrado ha entrado en la Cámara Trece de la Columna Espinal del cuerpo de tu Voluntad.

2.– El Arcano Trece del Tarot es la Muerte, y es la Eternidad.

3.– Hay que morir para vivir, hay que perderlo todo, para ganarlo todo.

4.– Hay que morir para el mundo, para vivir para el Padre.

5.– Un ave de oro vuela en los espacios infinitos.

6.– Hay relámpagos y poderes terribles.

7.– Se te entregan, ¡Oh, Buddha!, terribles poderes divinos.

8.– Ahora sois poderoso.

9.– El imperio del poder, la omnipotencia de la divinidad, brillan aterradoramente entre relámpagos.

10.– Entra al Templo, ¡Oh, Buddha! para celebrar la fiesta.

CAPÍTULO XX

CÁMARA CATORCE

1.– El Fuego Sagrado ha entrado en el Cañón Catorce de la Columna Espinal de tu cuerpo Causal.

2.– Es el Arcano de la Temperancia, el Arcano *14* del Tarot.

3.– La Castidad, la Templanza.

4.– Entra al templo, Hermano Mío, para celebrar tu fiesta Cósmica.

5.– Ahora cantas a dúo, con otro Hermano, ante el Altar de Dios.

6.– Comprended, hermano mío, el símbolo sagrado de todo esto.

7.– Una música deliciosa resuena en los ámbitos divinos, con sus más inefables melodías.

8.– Formad la cadena en el templo, hermano de mi alma.

9.– Luchad con paso firme y decidido por tu camino ardiente.

CAPÍTULO XXI

CÁMARA QUINCE

1.– Tu Quinta Culebra ha entrado en la Cámara Quince del cuerpo de tu Voluntad.

2.– Este es el Arcano Quince del Tarot: Tifón Bafometo.

3.– Esta es la lámina de: La Pasión.

4.– Terrible lucha contra las tentaciones tuvisteis que soportar, ¡Oh, Buddha!, pero salisteis victorioso.

5.– No adulterasteis, no fornicasteis, y salisteis triunfante.

6.– No os dejasteis llevar de la ira.

7.– No te inclinasteis ante la pasión carnal.

8.– Eres un victorioso.

9.– Escucha ahora, hermano mío, esos roncos instrumentos dando la nota más baja que corresponde al Bafometo, entra hermano mío, entra al templo, para que recibas tu primera fiesta del Bafometo, y luego vuelvas a entrar hermano mío, para que recibas la segunda fiesta, con la nota más alta.

10.– El Bafometo da la nota más baja, y da la nota más alta.

11.– Dos fiestas tiene el Bafometo.

12.– El Bafometo es un misterio de Alquimia.

13.– Hay que robarle el fuego al Diablo, hay que extraer el perfume de la rosa, del barro de la tierra. *(Véase: Tratado de Alquimia Sexual, por el mismo autor).*

14.– El cuerpo de tu Voluntad se va cristificando poco a poco con el fuego.

15.– Tu Voluntad Humana se va convirtiendo en Voluntad-Cristo.

16.– Recibe tu pequeña espada en el pecho.

17.– Este pequeño prendedor con figura de espada representa el grado de Tifón Bafometo.

18.– En el cementerio está la tumba donde fué sepultado el cuerpo de tus pasiones animales.

19.– Así es como el cuerpo de la Voluntad se vuelve poderoso.

20.– Así es como el cuerpo de la Voluntad se Cristifica.

21.– Así es como el Ego-Manas se va convirtiendo en Fuego.

22.– El Fuego todo lo transforma, el fuego todo lo purifica.

23.– El Misterio del Bafometo es Alquimia Sexual.

CAPÍTULO XXII

CÁMARA DIECISÉIS

1.– Tu Quinta Serpiente ha entrado en la Cámara Dieciséis.

2.– Esta Cámara es la Torre Fulminada del Tarot.

3.– ¡Viste los sutiles peligros que los tenebrosos ponían a tu paso!

4.– Ya viste hermano mío, Adeptos de la mano izquierda que sutilmente quisieron fulminarte.

5.– Te decían astutamente los hermanos de la sombra, que tú ya no eras un Adepto, que habíais interrumpido tu progreso luminoso.

6.– Y esos magos de la sombra te asediaban con estas sutiles palabras para fulminarte en el Arcano Dieciséis.

7.– Entraste en tinieblas espesas para arrancarles la Luz, y al fin de tantas luchas y tantos esfuerzos entraste en la Cámara Dieciséis.

8.– Entra al templo, hermano mío, para celebrar la fiesta.

9.– Acércate al Altar donde brillan dos floreros con grandes rosas rojas.

10.– Una música exquisita y deliciosa resuena entre los ámbitos divinos.

11.– Exquisitas sinfonías celebran tu victoria.

12.– Tu torre no pudo ser fulminada por los tenebrosos.

13.– Ella se yergue majestuosa, y sus muros invictos desafían los huracanes del abismo.

CAPÍTULO XXIII

CÁMARA DIECISIETE

1.– Resuena una corneta en todos los vastos horizontes del espacio.

2.– Brilla la estrella de la esperanza.

3.– Tu Quinta Serpiente ha entrado en la Cámara Diecisiete de tu Columna Espinal.

4.– Este es el Arcano *17* del Tarot.

5.– Una música inefable resuena en los ámbitos divinos.

6.– Hay fiestas en todos los templos, hay alegría, y brilla la estrella de la Esperanza.

7.– Avanza hermano mío, avanza y no desmayes.

CAPÍTULO XXIV

CÁMARA DIECIOCHO

1.– Tu Fuego Sagrado ha entrado en la Cámara Dieciocho de tu Columna Espinal.

2.– Esta es la Carta 18 (Dieciocho) del Tarot: El Crepúsculo.

3.– Este es el Arcano 18.

4.– Dos pirámides: una blanca y otra negra, simbolizan la gran batalla entre los poderes de la luz y los poderes de las tinieblas.

5.– Dos perros: uno blanco y otro negro, aullan a la Luna.

6.– El Arcano ***18*** del Tarot representa los enemigos ocultos.

7.– Ya habéis visto hermano mío, tus enemigos ocultos.

8.– Muchos de esos enemigos son gratuitos.

9.– Empero otros enemigos sólo guardan secretas venganzas por los males que tú les causastes.

10.– Esta Cámara es dificilísima.

11.– Luchaste lo indecible, ¡Oh, Buddha!. pero al fin entraste.

12.– Estáis en reunión de cuatro Maestros.

13.– Tú eres el cuarto, ¡Oh, Buddha!

14.– Un gran Maestro hace subir tu Quinta Serpiente a la Cámara Dieciocho.

15.– Por dentro resplandece tu cabeza con el Fuego abrasador.

16.– Entra al templo para celebrar la fiesta hermano mío.

17.– Tu Quinta Serpiente va subiendo poco a poco.

18.– Así es como tú estáis Cristificando tu Voluntad.

CAPÍTULO XXV

CÁMARA DIECINUEVE

1.– Brilla el Sol de la media noche entre el aura del Padre.

2.– El templo está de fiesta.

3.– Ante el Altar vemos muchas plantas adornadas con flores bellas.

4.– Hemos llegado al Carro Divino.

5.– Una lámpara azul resplandece en el Santuario.

6.– Un adepto pone una llama debajo de la lámpara, y el azul divino de esa lámpara preciosa sube por el fino hilo del que pende la lámpara.

7.– Tu Quinta Serpiente ha subido un cañón más, y habéis penetrado en el Arcano Diecinueve del Tarot.

8.– Este Arcano es el Carro del Faraón.

9.– Este Arcano es la lámina de: La Inspiración.

10.– Este Arcano es Solar.

11.– El Sol de Los Reyes Divinos, el Sol de los triunfos, el Sol de verdad, resplandece abrasadoramente.

12.– El Arcano Diecinueve es el Arcano de los presidentes, de los reyes y de los gobiernos.

13.– Ahora habéis visto, ¡Oh, Buddha!, que tú eres un Rey de los Reyes del mundo.

14.– Ahora habéis visto, ¡Oh, Buddha!, que tú eres un gobernante que gobierna a los gobiernos.

15.– Y sin embargo… los gobiernos de la Tierra no te conocen…

16.– Ondea la bandera de la victoria.

17.– En el lado derecho de tu cabeza resplandece una diadema con tres diamantes.

18.– Tú lo sabes…

19.– Orquestas inefables resuenan en los espacios infinitos.

20.– Enormes multitudes te saludan.

21.– Dirígete hermano mío, al más humilde.

22.– Las gentes aguardan tu palabra…

23.– Habla ante estas muchedumbres que te victorean con frenesí.

24.– Ahora sabes que mandas…

25.– Eres un Rey invisible, y las naciones te obedecen.

26.– Eres un auténtico gobernante que tiene el poder de gobernar a los gobernantes.

27.– Las gentes lo ignoran.

28.– Tú lo sabes.

29.– Habéis hablado sobre derecho internacional.

30.– Las multitudes frenéticas te aplauden.

31.– Habéis revisado algunas pasadas acciones de pasadas vidas.

32.– Épocas pasadas, y hechos relacionados con el gobierno de un país en el que estuvistéis reencarnado.

33.– La Ley del Karma todo lo teje sabiamente.

34.– Avanza buen Buddha, avanza…

35.– *Yo le digo a mis Buddhas, que todo Buddha tiene su Cristo interno, el Glorian. El resplandeciente Dragón de Sabiduría, que necesita encarnar en sí mismo para liberarse.*

CAPÍTULO XXVI

CÁMARA VEINTE

1.– Hemos llegado al Arcano ***20*** del Tarot.

2.– Esta es la lámina de: La Resurrección.

3.– Hay que morir para vivir.

4.– Hay que morir con muerte de Cruz, para resucitar de entre los muertos vivientes.

5.– La vida se alimenta con la muerte.

6.– La muerte trabaja para la vida.

7.– En cada INICIACIÓN muere algo en nosotros, y nace algo en nosotros.

8.– Hay necesidad de que el Hombre terreno muera, para que el Hombre Celeste se glorifique.

9.– El Fuego Sagrado ha entrado en la Cámara Veinte.

10.– Entra hermano mío, para celebrar la fiesta.

CAPÍTULO XXVII

CÁMARA VEINTIUNA

1.– Brilla una estrella resplandeciente entre los espacios infinitos.

2.– Tu Guru extiende la vara, y el Fuego Sagrado entra en la Cámara Veintiuno del Tarot.

3.– Este Arcano es: La Transmutación.

4.– Hay que fecundar el Caos, con el Verbo ardiente, para que surja la vida.

5.– Hay que fecundar las aguas del espacio, con el Fuego Sagrado, para crear el Universo.

6.– Hay que transmutar el agua en vino.

7.– El Caos es el semen encerrado en nuestras glándulas sexuales.

8.– Hay que fecundar el Caos con el Fuego, para que surja la vida.

9.– Hay que reducir los metales de nuestra personalidad, a la materia prima de la Gran Obra, para transmutarlos en el oro puro del Espíritu, en el Rey coronado con la diadema roja.

CAPÍTULO XXVIII

CÁMARA VEINTIDÓS

1.– Tu Fuego Sagrado ha entrado en el Arcano Veintidós del Tarot: El Regreso.

2.– Cuando la Tríada se separa del Cuaternario inferior con todos sus extractos anímicos, pasamos por el más solemne de los degollamientos.

3.– Los magos negros te acechan ahora, ¡Oh, Buddha!

4.– Un verdugo trae tu cruz.

5.– El cuerpo de tu Voluntad va a ser estigmatizado.

6.– Acuéstate sobre tu cruz. ¡Oh, Buddha!

7.– Los clavos atraviesan las palmas de tus manos y las curvaturas de tus pies.

8.– El cuerpo de tu Voluntad ha sido crucificado en su madero.

9.– Esta es tu Quinta Cruz.

10.– Tu Voluntad Humana ha sido crucificada con inmenso dolor.

11.– Las pruebas han sido terribles, ¡Oh, Buddha!

12.– Ya habéis aprendido a obedecer al Padre así en los cielos como en la Tierra.

13.– Ya habéis aprendido a obedecer la Ley.

14.– Eres incapaz de violar los Mandamientos del Padre.

15.– Estáis manejando la espada sabiamente.

16.– Te estáis sacrificando por la Gran Obra del Padre.

17.– El cuerpo de tu Voluntad sangra colgado de su Cruz.

18.– Eres un Salvador del Mundo.

CAPÍTULO XXIX

CÁMARA VEINTITRÉS

1.– El Fuego Sagrado ha entrado en la Cámara Veintitrés del Cuerpo de la Voluntad.

2.– Este es el Arcano de: El Labrador.

3.– Trabajando en la Gran Obra del Padre, el Cuerpo de tu Voluntad se va Cristificando.

4.– Monta en tu caballo.

5.– Habéis llegado al templo.

6.– Estáis lleno de Victoria.

7.– Cuelgas de tu cruz, y tus sagrados estigmas sangran.

8.– Tu Judas te acusa, y llueve contra ti el vituperio de los tenebrosos.

9.– Habéis sido vendido por treinta monedas de plata.

10.– Las multitudes enfurecidas te hieren y se burlan.

11.– Habéis aprendido a obedecer al Padre.

12.– Tu corazón sangra adolorido.

13.– Aquellos que antes te alababan, ahora te vituperan.

14.– Te han traicionado y te han vendido.

15.– Los Maestros te bajan de tu Cruz, para celebrar la fiesta.

16.– Monta ahora en tu caballo blanco, y marcha triunfante con la caballería del Nirvana.

CAPÍTULO XXX

CÁMARA VEINTICUATRO

1.– El Fuego Sagrado ha entrado en la Cámara Veinticuatro del Cuerpo de tu Voluntad.

2.– El Alma Humana muere y vive.

3.– El Alma Humana muere y resucita entre los muertos vivientes.

4.– Este es el Arcano de: La Tejedora.

5.– Veinticuatro se descompone así: ***2 + 4 = 6.*** Seis tres veces, es el número de la bestia.

6.– El seis es el número de la Gran Ramera.

7.– El seis es el número del Matrimonio.

8.– El seis es el número del Karma Humano.

9.– El seis es el número del Karma Lunar.

10.– La Tejedora Humana, la Gran Ramera, teje y desteje su propio destino, en este mundo de lágrimas.

11.– Se te ha ofrecido dinero, ¡Oh, Buddha! para que prostituyas tu ciencia, y tú lo has desechado.

12.– Se te han ofrecido fornicaciones, y tú las has rechazado.

13.– Sólo queréis hacer la Voluntad del Padre, así en la Tierra como en los Cielos.

15.– Trabajaréis con enormes multitudes.

16.– Yo AUN WEOR, soy SAMAEL.

17.– En mi se encarnó mi Ser Planetario, mi Yo Cristo. Mi Glorian.

18.– En mi se encarnó SAMAEL, el Logos Planetario de Marte.

19.– Él mora en Mí, y Yo moro en Él.

20.– El que a Mí me escucha, escucha al que me envió, yo soy SAMAEL.

CAPÍTULO XXXI

CÁMARA VEINTICINCO

1.– Tu Fuego Sagrado ha entrado en la Cámara Veinticinco de la Columna Espinal.

2.– Este es el Arcano Veinticinco del Tarot: El Argonauta.

3.– Habéis luchado en la Gran Batalla contra las fuerzas del mal.

4.– En tu arca navegando, te has lanzado sobre las grandes tempestades.

5.– Las batallas de los mundos internos, son realmente gigantescas.

6.– El Argonauta se lanza heroico entre las bravas olas de la mar.

7.– Ruge la tormenta del borrascoso mar de la existencia.

8.– Ruge el huracán, y el Argonauta se lanza contra la tempestad.

9.– Entra al templo, ¡Oh, Buddha!, para celebrar la fiesta.

CAPÍTULO XXXII

CÁMARA VEINTISÉIS

1.– Tu Quinta Serpiente ha entrado en el Arcano ***26*** del Tarot: El Prodigio.

2.– Tus poderes internos resplandecen prodigiosamente.

3.– Lo que sois, es algo que la humanidad no entendería.

4.– Lo que habéis aprendido entre las llamas, son cosas que los hombres no pueden comprender.

5.– Predicad en los templos la luz.

6.– Dos más seis, igual a ocho.

7.– Este número es el de Job.

8.– Habéis sufrido pacientemente por la humanidad doliente, y ahora el prodigio del Arcano ***26*** se hace resplandecer.

9.– Lo que eres, la humanidad no lo entendería.

10.– Solo tú sabes lo que es el mundo de la Niebla de Fuego.

11.– Bien vale la pena sacrificarnos en la Gran Obra del Padre.

CAPÍTULO XXXIII

CÁMARA VEINTISIETE

1.– Tu Fuego Sagrado ha entrado ahora en la Cámara Veintisiete del Tarot: Lo Inesperado.

2.– Esta Cámara es de un poder explosivo tremendo.

3.– Al llegar a esta Cámara, el Fuego Sagrado se ha revestido de un poder espantoso, que hace estremecer el Universo.

4.– Ya veis, Hermano Mío, que podéis levantar tu carro pesado, sin mayor esfuerzo.

5.– Ruge el motor de tu carro, y se enciende terriblemente, cuando vocalizas la letra *"O."*

6.– Esta vocal te da poder para dominar tus cuatro cuerpos de pecado.

7.– Con esta vocal nos hacemos obedecer de los cuatro cuerpos de pecado.

8.– Con esta vocal dominamos al hombre terrenal.

9.– Con esta vocal dominamos al burro.

10.– Tú lo sabes…

11.– Un grupo de hombres se preparan para hacer estallar una mina explosiva.

12.– Tiembla la tierra, se levanta una nube de humo… Es

lo inesperado.

13.– El escorpión exhala el fuego.

14.– La explosión hace estremecer al mundo…

15.– Llamas abrasadoras te envuelven, y se escucha el silbido dulce y apacible de la Palabra Perdida.

16.– El Fuego Sagrado entra en la Cámara *27* de la Columna Espinal del cuerpo de tu Voluntad.

17.– Ahora trabajaréis con las reencarnaciones humanas.

18.– Os toca colaborar con la oleada evolutiva en los procesos relacionados con la Ley de Reencarnación.

19.– Esto es de terrible responsabilidad, ¡Oh, Buddha!

20.– Hay dos clases de reencarnaciones:

21.– Una de ellas es la de los animales que se individualizan, para entrar por vez primera en organismos humanos.

22.– Otra es la de los seres humanos que abandonan su cuerpo humano, para ingresar por las puertas de la reencarnación en un nuevo organismo humano.

23.– En esta labor no deberéis tener preferencias, ¡Oh, Buddha!

24.– No deberéis tampoco hacer ensayos peligrosos.

25.– No deberéis mezlar corrientes opuestas.

26.– El cuerpo que ha de tocar a un Alma recién salida del estado animal, no debe dársele a un Alma Humana reencarnante, porque esta clase de preferencias son violatorias de la Ley.

27.– El animal que por vez primera despierta para encarnarse en cuerpo humano, tiene su vehículo especial que tú deberéis respetar.

28.– Empero si tú prefieres a un Alma Humana reencarnante, y le dierais el vehículo dispuesto para un Alma recién individualizada proveniente del reino animal, cometerías una infracción de la Ley y te echarías encima una grave deuda Kármica.

29.– Por ello es que no deben haber preferencias.

30.– Yo les digo a todos los Buddhas, que no hagamos ensayos peligrosos, ni tengamos preferencias para con nadie.

31.– Yo le digo a mis Arhats que vayan comprendiendo estas ideas conforme se vayan preparando, para el estado de Buddhas.

32.– Yo le digo a mis Arhats que estas Leyes de la Bendita Diosa Madre del Mundo son terribles.

33.– Yo le digo a los Buddhas que nosotros no debemos hacer ensayos peligrosos, porque la violación de toda Ley, trae Karma.

34.– Otro tanto sucede con aquéllos organismos animales dispuestos para elementales vegetales que ya alcanzaron el estado animal.

35.– Nosotros no debemos hacer ensayos peligrosos.

36.– No debemos entregar a un elemental vegetal recién animalizado, el organismo animal dispuesto por la Naturaleza para otro elemental proveniente del mismo reino animal, o de reinos vegetales.

37.– Debemos respetar toda matriz.

38.– La Matriz dispuesta para un determinado Ser, hay que respetarla, y no entregarla caprichosamente a otros seres.

39.– El Buddha que viola estas Leyes de la Naturaleza, tendrá que pagar Karma.

40.– Así pues, los Buddhas trabajamos con la Bendita Madre del Mundo.

41.– Empero debemos respetar sus Leyes.

CAPÍTULO XXXIV

CÁMARA VEINTIOCHO

1.– Tu Fuego Sagrado ha entrado en el Arcano *28* del Tarot: La Incertidumbre.

2.– ¿Véis este mercado humano, ¡Oh Buddha! ?

3.– Te arrojan agua sucia, y no protestas.

4.– Te arrojan lodo, y no protestas.

5.– Te insultan, y no protestas.

6.– Las multitudes humanas te aborrecen, ¡Oh, Buddha!

7.– Ellas quieren quemarte con el fuego de su ira, y así mismas se dañan.

8.– Su propio fuego las devora. Tú lo sabes.

9.– La Justicia Cósmica es la suprema piedad y la suprema impiedad de la Ley.

10.– Dos más ocho, igual a diez. Diez es la rueda de la fortuna, que gira incesantemente.

11.– Diez es la rueda de la comprensión.

12.– La rueda de la fortuna gira incesantemente, y el fuego del odio quema las riquezas de los malvados.

13.– Así se cumple la Ley.

14.– Entra al templo para celebrar la fiesta, hermano mío.

CAPÍTULO XXXV

CÁMARA VEINTINUEVE

1.– El Fuego Sagrado ha entrado ahora en la Cámara Veintinueve del Tarot: La Domesticidad.

2.– Una música deliciosa resuena en los ámbitos sagrados de esta Cámara del Templo.

3.– Los muros de tu Templo ya fueron levantados.

4.– Ahora deberéis levantar tu Torre Sagrada.

5.– Así es como vuestro Ego-Manas se está Cristificando en el Mundo de la Voluntad.

6.– Platón definió al Ego-Manas como un compuesto de lo uno y de lo otro.

7.– Realmente el Ego-Manas tiene algo de Hombre y algo de Ángel.

8.– El Ego-Manas es un mediador entre el hombre terrenal y el Íntimo.

9.– Cuando el Ego-Manas aprende a hacer la Voluntad del Padre así en la Tierra como en los Cielos, entonces comprende la Voluntad del Padre, se identifica con el Padre y se Cristifica.

10.– El Íntimo está simbolizado por el fuego y por el Sol, nuestra conciencia divina está simbolizada por la Luna y por las aguas del mar.

11.– El Ego-Manas es hijo de los dos, y está representado por el aire.

12.– Los ángeles solares, los Agniswattas nos dieron el Ego-Manas.

13.– El Ego-Manas es hijo del Sol y de la Luna.

14.– El Ego-Manas es la Voluntad Humana que se debe Cristificar para lograr la fusión con el Íntimo.

CAPÍTULO XXXVI

CÁMARA TREINTA

1.– En el tren de la Evolución Humana marcháis velozmente, ¡Oh, Buddha!

2.– Estáis económicamente pobre...

3.– Se te ofrecen posibilidades ilícitas para conseguir dinero, y no las aceptas, ¡Oh, Buddha!..

4.– Estáis indigente...

5.– Entra a este restaurante hermano mío.

6.– Aquí te ofrecen un empleo de sirviente para lavar platos...

7.– Acepta este magnífico empleo hermano mío...

8.– El servicio humilde es mejor que el robo o la estafa...

9.– El trabajo humilde tiene méritos gigantescos en la evolución humana.

10.– El trabajo humilde está a tono con la jerarquía.

11.– Tienes hambre, ¡Oh, Buddha!..

12.– Siéntate a comer en la mesa de los criados...

13.– Come con humildad, hermano mío...

14.– Un grupo de mendigos te rodea...

15.– Comparte con ellos tu pan.

16.– He aquí, se acerca uno de los mas sucios y harapientos, y te ofrece un pedazo de pan, recíbelo con humildad, hermano mío, recíbelo, no desprecies al humilde.

17.– Es preferible un intercambio de amor, a un intercambio de mercaderes usureros.

18.– Habéis salido triunfante de la prueba, ¡Oh, Buddha!

19.– Si hubiérais fracasado en esta prueba, si hubiérais despreciado al humilde, si os hubiérais dejado llevar de la codicia, hubiérais fracasado en este grado esotérico.

20.– Habéis salido victorioso, ¡Oh, Buddha!, y tu Fuego Sagrado ha llegado a la Cámara Sagrada del Verbo.

21.– Este es el Arcano Treinta del Tarot: El Intercambio.

22.– Entre el Cáliz resplandece la cabeza coronada de espinas.

23.– La Voluntad Humana se está convirtiendo totalmente en Voluntad Cristo.

24.– Ahora recibisteis tu misión, ¡Oh, Buddha!

25.– El Fuego abrasador de tu Quinta Serpiente resplandece en el Chacra de tu Laringe.

26.– Parlas en el Verbo de la Luz, y tu verbo es el Verbo de Oro.

CAPÍTULO XXXVII

CÁMARA TREINTA Y UNA

1.– El Fuego Sagrado ha entrado en la Cámara Treinta y una de tu Columna Espinal.

2.– Habéis sido sometido a pruebas de todo género, y habéis salido victorioso.

3.– Caminad con el Niño de vuestra Voluntad Cristificada entre los brazos, rumbo a la Iglesia Gnóstica.

4.– Brilla la corona de los Santos alrededor de tu cabeza.

5.– Entra al Templo para celebrar la fiesta, hermano mío.

6.– Esta es la Carta Treinta y uno del Tarot: Impedimentos.

7.– Estos dos niños simbolizan dos caminos que se abren ante ti, como la gran "V" de la Victoria.

8.– Estáis ante dos caminos.

9.– Uno de estos caminos es el camino Logoico, el camino de los cielos estrellados, el camino espiral del firmamento.

10.– El otro es el sendero del deber largo y amargo, que nos lleva hasta las entradas mismas del Absoluto.

11.– El Swami Vivekamanda, ya dejó dicho que cuando el Iniciado intenta penetrar en el Absoluto surgen Dioses tentadores, que le ofrecen hacerlo Rey de determinadas zonas del Universo, para que no se libere.

12.– Estos Dioses tentadores no se han podido liberar, y celosos de su propia jerarquía, tientan al caminante para impedirle su entrada al Absoluto.

13.– Esos seres son mil veces más peligrosos que los humanos.

14.– Un gran Jerarca Divino sale a tu encuentro al llegar al punto de partida de los dos caminos.

15.– Este ser es de apariencia terrible, te muestra los dos caminos.

16.– El camino Nirvánico, es un trabajo bueno, y el camino del Absoluto es un trabajo superior.

17.– El camino Nirvánico sigue la espiral de la vida.

18.– El camino del Absoluto es el sendero del deber largo y amargo.

19.– El camino Nirvánico está lleno de Paraísos.

20.– El camino del Absoluto es el desierto de los Dioses.

21.– El camino Nirvánico es un camino de felicidad, y a través de muchos Mahamvantaras los Dioses se libertan de sus masas planetarias, para entrar en la dicha inefable del Absoluto.

22.– Empero, hay Logos como el Dios Sirio, gobernador de dieciocho millones de constelaciones, que todavía no han logrado libertarse del Cosmos, para entrar en el Absoluto.

23.– Estáis hermano mío, ante un celoso guardián del Cosmos, defínete ahora mismo por alguno de los dos caminos, defínete, no lo pienses más, porque ya no hay tiempo para pensar.

24.– Este gran Jerarca te ofrece las maravillas del infinito, y celoso de su propia jerarquía, te invita a penetrar en el camino Nirvánico y te advierte los peligros del sendero del deber largo y amargo, que conduce directamente al Absoluto.

25.– Defínete ahora mismo, y avanza.

26.– Yo le digo a mis Arhats que es mejor entrar por el sendero del deber largo y amargo.

27.– Yo les digo, el camino Nirvánico Logoico nos ofrece muchos paraísos, pero es peligroso...

28.– Son millones los Dioses llenos de gravísimos compromisos Kármicos.

29.– Son millones de Dioses que no han podido entrar en la dicha inefable del Absoluto.

30.– El sendero del deber largo y amargo nos conduce directamente a la luz increada del Absoluto.

31.– El sendero del deber largo y amargo nos conduce a la dicha inefable del No Ser, que verdaderamente es el Real Ser.

32.– El sendero del deber largo y amargo, nos conduce a las tinieblas profundas del No Ser.

33.– En esas tinieblas profundas resplandece la Luz increada.

34.– En el Sendero del deber largo y amargo, vamos despertando la conciencia plano tras plano, hasta despertarla totalmente en el Absoluto.

35.– Aquel que despierta la conciencia absoluta deja de existir y pasa a Ser.

36.– Aquel que despierta la conciencia absoluta entra en la dicha inefable del más puro Paranishpana.

37.– Aquel que despierta la conciencia absoluta, es un

Paramartasatya, que está más allá de la conciencia.

38.– El Absoluto contiene al conocedor, al conocimiento, y a la conocida, dentro de una Unidad total.

39.– El Absoluto está más allá de la Luz y de las Tinieblas.

40.– El Absoluto está más allá del Espíritu y la Materia.

41.– El Absoluto está más allá de la razón, y más allá del silencio y del sonido, y de los oídos para percibirlo. El Absoluto está más allá de la conciencia.

42.– Los aspectos del Absoluto son: *Espacio abstracto, Eternidad y Movimiento, que son tres.*

43.– El vacío, las tinieblas y el No-Yo, son la Unidad Absoluta.

44.– Aquél vacío es plenitud, aquéllas tinieblas son Luz increada, y aquel No-Yo de la Filosofía es el Ser, es el Real Yo, es el Íntimo ya liberado.

45.– Cuando sonó la hora cumbre del primer instante, los brillantes hijos de la aurora del Mahamvantara salieron de entre las entrañas del Absoluto, porque no habían despertado la conciencia absoluta, y el Absoluto sin la conciencia absoluta no es felicidad.

46.– Paranishpana *(la felicidad del Absoluto)* sin Paramarta *(la conciencia despierta)* no es felicidad.

47.– Si a un hombre común y corriente, después de desencarnado lo depositáramos entre el Absoluto, ese hombre se llenaría de horror ante las tinieblas profundas del No-Ser y ante el vacío horrible del No-Yo, y suplicaría que lo sacáramos del Absoluto y lo trajéramos al mundo.

48.– El Absoluto sólo es felicidad absoluta para los Paramartasatyas, para aquellos que se liberaron del

Cosmos y que despertaron la conciencia absoluta.

49.– El Fuego fecundando la materia caótica, hace brotar la vida Cósmica después de cada noche profunda.

50.– El Fuego y el Agua son el Padre y la Madre del Universo.

51.– El Fuego es el polo Masculino y el Agua es el principio Femenino.

52.– El Fuego está representado por el Phalo Vertical, y el Agua por la línea Horizontal, ambos forman Cruz.

53.– El Fuego fecundando al Agua, está simbolizado por el Signo de la Cruz.

54.– El Fuego es el Padre, y el agua es la Madre del Universo, ambos forman Cruz.

55.– El Universo es el hijo que pende de la Cruz.

56.– Entre las aguas del Caos se levanta la Cruz, en la que está cristificado el Cristo.

57.– Cristo es un Paramartasatya.

58.– Cristo es el único Engendrado.

59.– Cristo tiene conciencia absoluta.

60.– Cristo es un habitante del Absoluto.

61.– Cristo salió del Absoluto, para gobernar todo el Cosmos.

62.– El Padre de que habla el Cristo, es el Anciano, El Ser.

63.– Cristo es un mediador entre los Hombres y el Anciano de los Días.

64.– Él le dijo al Cristo: *"Tú eres mi hijo, yo te he engendrado hoy."*

65.– *"Tú eres Sacerdote eternamente según el Orden de Melquisedec."*

66.– *"Dios habiendo hablado muchas veces y en muchas maneras en otro tiempo a los padres por los profetas."*

"En estos postreros días nos ha hablado por el Hijo, al cual constituyó heredero de todo, por el cual asimismo hizo el Universo."

"El cual siendo el resplandor de su gloria, y la misma imagen de su substancia y sustentando todas las cosas con la palabra de su potencia, habiendo hecho la purgación de nuestros pecados por sí mismo, se sentó a la diestra de su Majestad en las alturas."

"Hecho tanto más excelente que los ángeles, cuanto alcanzó por herencia más excelente nombre que ellos."

"Porque ¿a cuál de los ángeles dijo Dios jamás: Mi Hijo eres tú, Hoy yo te he engendrado?."

"Y otra vez: Yo seré a él Padre. Y él me será a mi Hijo?."

"Y otra vez, cuando introduce al Primogénito en la tierra, dice: Y adórenle todos los ángeles de Dios."

"Y ciertamente de los ángeles dice: El que hace a sus ángeles espíritus. Y a sus ministros llama de fuego."

"Mas al Hijo: Tu trono, Oh Dios, por el siglo del siglo; Vara de equidad la vara de tu reino."

"Has amado la Justicia, y aborrecido la maldad."

"Por lo cual te ungió Dios, el Dios tuyo. Con óleo de alegría más que a tus compañeros."

"Y: Tú , Oh Señor, en el principio fundaste la tierra. Y los cielos son obras de tus manos."

"Ellos perecerán, más tú eres permanente. Y todos ellos se envejecerán como una vestidura."

"Y como un vestido los envolverás, y serán mudados. Empero tú eres el mismo. Y tus años no acabarán."

"Pues, ¿a cuál de los ángeles dijo jamás: Siéntate a mi diestra, hasta que ponga a tus enemigos por estrado de tus pies?."

"¿No son todos espíritus administradores, enviados para servicio a favor de los que serán herederos de salud?." Capítulo I: (Hebreos, Nuevo Testamento).

CAPÍTULO XXXVIII

CÁMARA TREINTA Y DOS

1.– Tu Fuego Sagrado ha entrado en la Cámara Treinta y dos de tu Columna Espinal.

2.– Este es el Arcano ***32*** (treinta y dos) del Tarot: Magnificencia.

3.– Habéis salido victorioso en todas las pruebas.

4.– *"Se te ofrecieron riquezas, placeres, fornicaciones, magnificencias terrenales, que rechazaste con energía."*

5.– Este Arcano pertenece al grado de León de la Ley.

6.– Eres indiferente ante la alabanza y el vituperio, ante la riqueza y la pobreza, ante el triunfo y la derrota.

7.– Habéis aprendido a conocer lo bueno de lo malo, y lo malo de lo bueno.

8.– Habéis aprendido a manejar la Espada de la Justicia Cósmica.

9.– En todas las pruebas habéis salido victorioso.

10.– Habéis aprendido a reconocer lo justo.

11.– La justicia está más allá del bien y del mal.

12.– Los Dioses están más allá del bien y del mal.

13.– La Justicia da a nuestra conciencia el equilibrio Absoluto y la rectitud perfecta.

14.– La Justicia es la suprema piedad, y la suprema impiedad de la Ley.

15.– Los grandes Jerarcas del Karma tienen cabeza de chacal con orejas de lobo.

16.– En la constelación del Gran Dragón, que brilla en el septentrión, residen los Grandes Señores del Karma que levantan y hunden continentes, y que castigan a los hombres.

17.– Las siete Pléyades rigen el Karma de las naciones.

18.– En la Estrella Polar del Norte moran aquellos que fundan razas, que rigen el destino de las razas humanas.

19.– Todos esos Seres están más allá del bien y del mal.

20.– Habéis rechazado todas las magnificencias de la Tierra, todos los placeres de tu raza, y sois ahora un León de la Ley.

21.– Entra al Templo, hermano mío con la lámpara de aceite de tu mano.

22.– Recibe tu fiesta con alegría.

23.– La lámpara de aceite arde siempre delante del paño de la Verónica.

24.– Tu Voluntad Humana se está convirtiendo en Voluntad Cristo.

CAPÍTULO XXXIX

CÁMARA TREINTA Y TRES

1.– El Fuego Sagrado ha entrado en el Arcano Treinta y tres del Tarot: La Alianza.

2.– El Ego-Manas se ha desposado con la Bella Elena.

3.– Habéis salido triunfante en las pruebas de la castidad.

4.– Las alas de Mercurio resplandecen en el Altar del Templo.

5.– El Fuego Sagrado flamea abrasadoramente en tu glándula pineal.

6.– Ahora solo se aguarda la fusión del Ego-Manas con la Bella Elena.

7.– Aguarda pacientemente la Iniciación.

8.– Resplandece el número ***800*** sobre el Altar.

9.– El número ***8*** repetido en el Buddhi y en el Atman, te darán más tarde el ***888***, que es el número del Logos Solar.

10.– Brilla la paloma blanca del Espíritu Santo sobre tu cabeza.

11.– Resuena el **AOM** en los ámbitos profundos del Templo.

12.– El Templo está lleno de flores, y una música deliciosa resuena en todos los espacios infinitos.

13.– La Voluntad del Hijo y la Voluntad del Padre, se han aliado ahora, y el Hijo debe arrojar su corona a los pies del Cordero.

14.– Habéis sido probado y reprobado, y estáis ahora perfectamente preparado para la Iniciación.

15.– Aguarda, ¡Oh, Buddha!, ese instante feliz.

CAPÍTULO XL

CENTRO DE BRAHMARANDRA

1.– El Fuego Sagrado, ha llegado ahora al Centro de Brahmarandra.

2.– Este centro está situado en la fontanela frontal de los recién nacidos.

3.– Por esta puerta sale tu Fuego al mundo exterior.

4.– El Fuego se esparce por la atmósfera circundante.

5.– El Divino Rabí de Galilea se acerca a ti ¡Oh, Buddha!, para instruirte.

6.– En tu corazón resplandece la imagen del Crucificado.

7.– En el Templo, música inefable resuena con las más exquisitas melodías.

8.– Habéis renunciado a la felicidad del Nirvana, por amor a la Humanidad.

9.– El Boddhisattwa que renuncia a la felicidad del Nirvana por amor a la Humanidad es confirmado tres veces honrado y después de edades al fin se gana el derecho de nacer en el Absoluto, como un Paramartasatya.

10.– La muralla guardiana está formada por los Maestros de Compasión, por los Nirmanakayas, por aquéllos que han renunciado al Nirvana por amor a la Humanidad.

11.– Aquéllos que renuncian al Nirvana por amor a la

Humanidad pueden conservar su cuerpo físico durante todo el período terrestre.

12.– Ése es el Elixir de Larga Vida.

13.– El Maestro Moria posee un cuerpo físico de edades incalculables.

14.– El Conde San Germán posee actualmente el mismo cuerpo físico con el que se le conoció durante los siglos XVII y XVIII en Europa.

15.– Todos nosotros los miembros del Sagrado Colegio, dependemos de Sanat Kumara el Fundador del Sagrado Colegio de Iniciados de la Gran Fraternidad Universal Blanca.

16.– Sanat Kumara, vive en un oasis del desierto de Goby.

17.– Allí tiene su templo.

18.– Ese oasis fué en otro tiempo una isla sagrada del Pacífico.

19.– En esa isla sagrada moraban grandes iluminados de la tercera raza.

20.– Con el tiempo el mar se retiró, y hoy esa isla sagrada es un oasis del desierto de Goby. Allí mora Sanat Kumara, con un grupo de Grandes Iniciados.

21.– La Paloma Blanca del Espíritu Santo vuela sobre tu cabeza, alégrate ante la música del templo.

CAPÍTULO XLI

EL CHACRA FRONTAL

1.– El Fuego Sagrado ha llegado ahora al entrecejo, donde resplandece el Chacra Frontal.

2.– El Chacra Coronario ha quedado ahora totalmente conectado con el Chacra Frontal.

3.– Un intercambio de corrientes entre la glándula pineal y la glándula pituitaria resplandece abrasadoramente.

4.– La glándula pituitaria es el paje, y la antesala de la glándula pineal.

5.– La glándula pineal es el Ojo de Dagma.

6.– El Ojo de Dagma es el Ojo Único, que despierta con la conjunción del Buddhi y del Ego-Manas.

7.– El Buddhi nos fué dado por los Manas Putras los grandes seres de Mercurio.

8.– El Ego-Manas debe absorverse en el Buddhi.

9.– Ahora el Ojo de Dagma resplandece y su paje el Chacra Frontal, brilla en el entrecejo.

10.– El sol resplandece razgando las nubes.

11.– Tres niños se arrodillan.

12.– El templo está de fiesta, hay alegría.

13.– Siete Cámaras Sagradas conectan a la cabeza con el corazón.

CAPÍTULO XLII

EL CAMPO MAGNÉTICO DE LA RAÍZ DE LA NARIZ

1.– El Fuego Sagrado ha entrado ahora en el campo magnético de la raíz de la nariz.

2.– Este campo magnético está íntimamente relacionado con los átomos solares y lunares.

3.– El Akasha puro que circula por el Cordón Brahmánico, pasa a través de este campo magnético de la raíz de la nariz.

4.– Los tres alientos de Akasha puro descienden del Cordón Brahmánico, para combinarse con los átomos seminales que ascienden al refrenar el impulso sexual.

5.– Cuando el hombre eyacula el semen durante prácticas de Magia Sexual negativa, los tres alientos se combinan entonces con los átomos recogidos de los propios infiernos del hombre.

6.– Después de una eyaculación, el movimiento peristáltico de los órganos sexuales recoge de nuestros propios infiernos atómicos, billonadas de átomos demoníacos, que ascienden por el Cordón Brahmánico, para combinarse con los tres alientos del Akasha puro

7.– Así es como el Kundalini, en lugar de ascender por la Médula, desciende entonces desde el hueso coxígeo formando la famosa cola de los demonios.

8.– Empero al refrenar el impulso sexual, para evitar la eyaculación seminal , entonces los átomos seminales ascienden para combinarse con los tres alientos del Akasha puro.

9.– Así es como despierta el Kundalini en forma positiva, ascendiendo por la médula espinal.

10.– Así es como nos realizamos como Maestros del Mahamvantara.

11.– En la raíz de la nariz los átomos Solares y Lunares hacen contacto.

12.– Ese campo magnético atrae los mejores átomos del Universo, cuando vivimos una vida casta y pura.

13.– Un Maestro te trata ocultamente ahora todos esos centros.

14.– El Chacra Frontal y la glándula pineal, es decir las glándulas epífisis e hipófisis son verdaderos mundos Universales que brillan, centellean, resplandecen.

15.– En el templo se celebra la fiesta de esta Primera Cámara Santa.

16.– Del entrecejo al corazón, hay Siete Cámaras Santas que comunican al cáliz con el corazón.

CAPÍTULO XLIII

SEGUNDA CÁMARA

1.– El Fuego Sagrado ha entrado en la Segunda Cámara Santa que va del entrecejo al corazón.

2.– El templo donde vais a recibir tu Quinta Iniciación de Misterios Mayores está todavía cerrado, aguardando el instante solemne del corazón.

3.– Es un templo gigantesco.

4.– Una Dama Adepto abre la puerta del gran monasterio.

5.– Entra, ¡Oh, Buddha!, y aguarda la hora.

6.– Hay fiesta por el triunfo de la nueva Cámara.

7.– Ten paciencia, ¡Oh, Buddha!

CAPÍTULO XLIV

TERCERA CÁMARA

1.– El Fuego Sagrado ha llegado ahora a la Tercera Cámara del camino ígneo que va del entrecejo al corazón.

2.– Se abre una puerta.

3.– Entra hermano mío, a la Cámara Santa.

4.– En este salón hay fiesta de Dioses.

5.– Hablad con vuestro Padre que está en los cielos, recibid la fiesta, y alegraos con los Dioses.

6.– El cuerpo de tu voluntad resplandece abrasadoramente.

7.– Hablad con tu Guru, y regocijaos.

8.– Poco a poco se acerca la Gran Hora de la Iniciación.

9.– Recordad que el Universo no es más que una sombra flotante, y que los planos más divinos de conciencia no pasan de ser puras masas de sombras ante la majestad de la Luz increada del Absoluto.

10.– Ahora tu Guru te advierte que él está ligado a ti, y que espera que tú no lo hagas quedar mal ante la Ley.

11.– Tu Guru es el responsable de que tú estéis en los Misterios.

12.– Él tiene que responder ante la Ley por los pasos tuyos.

13.– No olvides, ¡Oh, Buddha!, que los Buddhas también

pueden caerse.

14.– Mientras uno no se haya liberado del Alma intracósmica, está siempre en peligro de caer.

15.– Este Universo existe por el Karma, y los mismos Dioses existen en este Universo por el Karma.

16.– Cuando el Logos Causal inició su movimiento eléctrico en la Aurora del Mahamvantara, no se oyeron sino llantos de niños, súplicas y congojas.

17.– Los Dioses lloraron en la aurora del Mahamvantara.

18.– El Logos Causal contiene en su mente divina, todas las causas Kármicas que originaron la existencia del Universo.

19.– Cuando ese Gran Ser comenzó a moverse sobre la faz de las aguas, no hubo sino llantos y congojas de Dioses.

20.– La Luz increada del Absoluto se fue alejando poco a poco de los Dioses, y entonces éstos cayeron entre esta masa de sombras Universales.

21.– Cuando el Gran Logos que se expresa como electricidad en todo lo existente emanó de sí mismo al Logos del Sistema Solar y a los Siete Genios Planetarios, no hubo sino llantos de amargura.

22.– Cuando los Dioses fecundando la materia caótica con el fuego comenzaron a tejer en el telar de Dios, no hubo sino llantos de amargura.

23.– Los Dioses lloraban la salida del Absoluto.

24.– Lloraban la Luz increada que ya se había vuelto tinieblas para ellos, y unos a otros se disculpaban a sí mismos, diciendo: "*Yo no tengo la culpa, yo no soy culpable, etc., etc.*"

25.– Los Dioses se cayeron cuando la Gran Madre les robó el fuego.

26.– La Gran Madre resplandeció de placer con el protogonos Universal.

27.– La Virgen Madre le arrebató la caña a los Dioses, y les sacó el mundo del Chacra Muladhara.

28.– Ése es el Karma de los Dioses.

29.– Afortunadamente, la espiral de la vida va levantando el Alma de los Dioses a planos de conciencia cada vez más elevados, con la aurora de cada Mahamvantara.

30.– En cada Gran Día Cósmico, el Universo es colocado en un plano cada vez más superior.

31.– Hasta que al fin, el Alma de Fuego de los Dioses se absorbe totalmente en el Absoluto.

32.– Este es el Karma de los Dioses, trabajar con los mundos.

33.– En ese amanecer de la vida ellos lloraron cuando se hundieron entre las sombras del Universo.

34.– Cuando los Dioses comenzaron a tejer el telar de Dios, cuando comenzaron a fecundar la materia caótica con el Fuego Sagrado, lloraron de dolor.

35.– Fue entonces cuando compadecido de ellos un habitante del Absoluto el Cristo, un Paramartasatya, descendió a las sombras Universales movido de compasión, para salvar a hombres y a Dioses.

36.– El Logos Causal emitió de su mente divina la Cruz dentro del Círculo, y cuando el fuego y el agua formaban Cruz con el connubio Divino, el Cristo se colgó de esa Cruz para salvar a los hombres y a los Dioses de este Universo.

37.– Avanza, ¡Oh, Buddha!, avanza y no desmayes, éste es el consejo que te doy ante las tres candelas de esta Cámara Santa.

38.– Libérate de todos los planos cósmicos, para que nazcas en la vida libre en su movimiento.

39.– Libérate de todos los planos cósmicos, para que dejes de existir y pases a *Ser Absolutamente*. Necesitamos una muerte suprema, y una suprema resurrección.

40.– Es mejor Ser que existir.

41.– El Absoluto es espacio abstracto absoluto sin límites y movimiento abstracto absoluto, entre el pleroma de la Luz increada, donde sólo resplandece la felicidad de Ser sin existir, la felicidad de la vida libre en su movimiento.

42.– Adelante, ¡Oh, Buddha!, adelante y no desmayes.

43.– La fuerza Crística que llevamos en nuestros órganos sexuales, nos lleva hasta el Absoluto.

44.– La electricidad del Logos Causal, nos conecta con el Absoluto.

45.– El Absoluto es electricidad purísima.

46.– La electricidad se expresa como instinto sexual en nosotros.

47.– La electricidad enciende el Fuego, la Luz y la Llama.

48.– Cuando el Fuego del Padre se unió sexualmente con la Gran Madre para crear el Universo, los Dioses lloraron la salida del Absoluto.

49.– Fue entonces cuando el Cristo emanado de la Luz increada, descendió a las sombras Universales, penetró en el Santuario, y firmó el solemne compromiso del sacrificio para salvar a hombres y a Dioses.

50.– Más tarde ese mismo compromiso, lo selló con su propia sangre, sobre las cumbres inefables del Gólgota.

51.– La Suprema Redención es una muerte suprema, y una Suprema Resurrección.

52.– Las personalidades humanas son hojarasca arrastrada por el Gran Viento, sombras vanas. Hay que crucificar los afectos humanos y morir para vivir terriblemente.

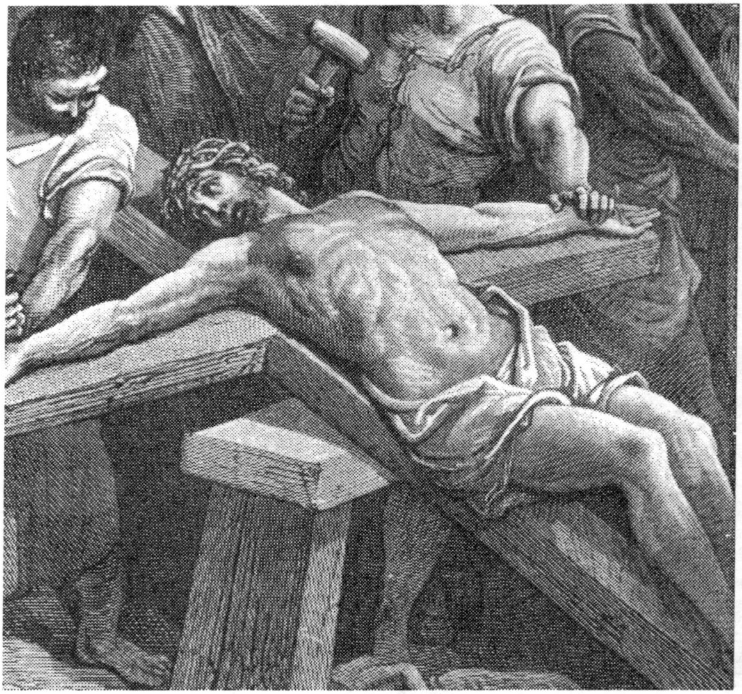

CAPÍTULO XLV

CUARTA CÁMARA

1.– El Fuego Sagrado ha llegado a la Cuarta Cámara de tu Columna Espinal.

2.– Alégrate, ¡Oh, Buddha!

3.– Persevera y no desmayes.

4.– Sé fiel hasta la muerte, y yo te daré la corona de la vida.

5.– Entra al templo, para recibir la fiesta.

CAPÍTULO XLVI

QUINTA CÁMARA

1.– El Fuego Sagrado entra ahora en tu Quinta Cámara.

2.– Recibe tu fiesta, ¡Oh, Buddha!

CAPÍTULO XLVII

SEXTA CÁMARA

1.– Sientes un gran desasosiego, ¡Oh, Buddha!

2.– Sientes que te llaman del templo.

3.– El deber también te llama.

4.– ¿A quién escucharás?

5.– ¿A quién obedecerás?

6.– ¿Escucharás al deber, o escucharás al llamado del templo?

7.– ¡Ay! de Tí, si no triunfas en esta prueba.

8.– ¿Quiénes te llaman del templo?

9.– Observad la puerta del Santuario.

10.– ¿Véis esos finísimos magos negros que te llaman?

11.– Entre el incienso de la oración también se esconde el delito.

12.– Habéis aprendido a obedecer el cumplimiento del deber.

13.– Habéis aprendido a cumplir con tu deber.

14.– Habéis salido victorioso en la prueba.

15.– Entra al templo para celebrar la fiesta.

CAPÍTULO XLVIII

SÉPTIMA CÁMARA

1.– El Fuego Sagrado ha entrado en la Séptima Cámara.

2.– Habéis llegado al corazón tranquilo.

3.– Ahora llega tu Padre Celestial y os pone la Corona del Rey, y el mandato soberano.

4.– Brilla la Cruz Sagrada.

5.– Eres un Rey.

6.– Tu Padre Estelar te ha coronado.

7.– Hay música inefable, hay alegría infinita.

8.– El Kundalini ha conectado a la cabeza con el corazón.

9.– Tu Quinta Serpiente ha hecho su recorrido.

10.– Ahora el Fuego Sagrado irá pasando por los primeros cuatro centros del corazón.

11.– Cuando llegue al Quinto Centro recibiréis la Iniciación.

CAPÍTULO XLIX

PRIMER CENTRO DEL CORAZÓN

1.– El Fuego Sagrado ha entrado en el Primer Centro Sagrado del Corazón.

2.– Ved este pequeño templo, hermano mío.

3.– A la derecha hay un mago blanco, y a la izquierda un mago negro.

4.– El buen y el mal ladrón.

5.– La luz y las tinieblas en incesante lucha.

6.– Entrad ahora a recibir tu fiesta.

7.– Este es el Primer Centro Sagrado del Corazón.

CAPÍTULO L

SEGUNDO CENTRO

1.– Ha entrado el Fuego Sagrado en el Segundo Centro del Corazón.

2.– Un grupo de pequeños caballos arrastran tu carro.

3.– Entrad al templo para celebrar la fiesta.

CAPÍTULO LI

TERCER CENTRO

1.– El Fuego Sagrado ha entrado en el Tercer Centro del Corazón.

2.– Un tren en marcha.

3.– Una banda de música deliciosa.

4.– Muerto el toro de las pasiones.

5.– Vencido el enemigo.

6.– Avanza la Obra del Padre.

7.– Estáis victorioso, ¡Oh, Buddha!

CAPÍTULO LII

CUARTO CENTRO

1.– El Fuego Sagrado ha entrado ahora en el Cuarto Centro del Corazón.

2.– Recibe tus poderes, y guarda un absoluto silencio.

3.– Cállate, ¡Oh, Buddha!

4.– De la prisión se escapa el Niño.

5.– El Ego-Manas se ha liberado.

6.– Tu Voluntad Humana se ha convertido en Voluntad-Cristo.

7.– Cállate, ¡Oh, Buddha!

CAPÍTULO LIII

QUINTO CENTRO

1.– He llamado a la Esfinge Elemental de la Naturaleza.

2.– La Esfinge ha venido desde el desierto del Egipto hasta mí.

3.– La Esfinge ha sufrido demasiado, tiene sus pies embarrados.

4.– Los Hombres han hecho sufrir a la Esfinge Milenaria.

5.– He besado a la Esfinge con ósculo santo.

6.– La Esfinge ha fijado la fecha de mi Iniciación.

7.– Ahora camino meditando en el Misterio de la Esfinge.

8.– Ante mis pies se abre el Infernus de Dante.

9.– Regiones inferiores de foco pasionario.

10.– Desciendo momentáneamente a esos abismos.

11.– Uno de los Señores del Karma me advierte que ya he sufrido demasiado tres años y que ahora debo vestirme mejor.

12.– Pregunto si mis prácticas de Magia Sexual están correctas, y el Maestro me responde que sí están correctas.

13.– Practicando Magia Sexual intensamente con la mujer he levantado mi Quinta Serpiente sobre la vara.

14.– La electricidad estática sólo se pone en actividad cuando los campos magnéticos están intensamente magnetizados.

15.– La electricidad bulle por donde quiera y se agita, pero sólo puede ser utilizada cuando se le obliga a pasar por los electroimanes, cuando se le acumula.

16.– Ningún generador eléctrico podría generar electricidad, si antes no hubieran sido intensamente magnetizados los campos magnéticos.

17.– La electricidad es hija del magnetismo, y sólo se engendra con el magnetismo.

18.– La electricidad es esposa del magnetismo, y sólo se engendra en connubio sexual con el magnetismo..

19.– Hombre y Mujer, deben magnetizarse mutuamente por medio de la Magia Sexual, para que de los campos magnéticos de nuestros órganos sexuales se genere la electricidad divina del Kundalini.

20.– Entra ahora a recibir tu Iniciación, hermano mío. El templo está lleno de gloria.

21.– Eres hijo de tu misma esposa; ella te ha parido como Maestro del Cosmos.

22.– Osiris es esposo, hijo y hermano de Isis, no lo olvides.

23.– El cinoséfalo es un mono con cabeza de perro y tiene la caña de siete nudos en su mano derecha.

24.– El cinoséfalo es el Mercurio de la filosofía secreta, son los órganos de la pasión sexual, es la sed insaciable del sexo, es la bestia de donde debemos extraer heroicamente el Fuego Sagrado.

25.– El Mercurio, es decir, el semen, el cinoséfalo, debe estar siempre entre Isis y Osiris, para realizar la Gran Obra.

26.– Habéis engendrado tu Voluntad-Cristo.

27.– Tu Voluntad Humana se ha convertido en Voluntad-Cristo.

28.– Ya os habéis sentado en un nuevo trono. De tu cuerpo Causal el Iniciador ha extraído un niño preciosísimo: *es tu Voluntad-Cristo.*

29.– Este *Niño Precioso* se fusiona ahora con tu Íntimo.

30.– Toda tu personalidad ha quedado absorbida en tu Alma-Buddhi-Manas.

31.– Habéis quedado completamente iluminado lleno de terribles poderes que flamean entre el Fuego Universal.

32.– La conjunción del Buddhi-Manas te ha abierto el Ojo de Dagma.

33.– Eres un Maestro del Samadhí, eres un Hijo de la Luz.

34.– Ahora amas a tu mujer más que antes, ella es tu madre...

35.– El Amor eleva a las Almas. El Amor engendra Dioses.

36.– La Mujer es la puerta del Edén, y los que entran por esa puerta, beberán el agua pura de la vida, y nunca más tendrán sed.

CAPÍTULO LIV

1.– Debemos hacer la Voluntad del Padre, porque el Hombre es vano y necio.

2.– Realmente la conciencia humana es vana. La vida personal es vana, la ciencia humana es vana, la razón es ilusoria. Los afectos humanos son ilusorios.

3.– Lo único real es el Absoluto.

4.– El Absoluto se expresa como movimiento impersonal.

5.– El Gran Aliento del Absoluto, arrastra a las multitudes humanas, como hojas secas de verano.

6.– Las multitudes son hojas arrastradas por el viento terrible del Absoluto.

7.– El Hombre no sabe nada, porque el único que sabe es el Absoluto.

8.– La mente y la personalidad Humana, con todos sus afectos y cariños nos tienen encadenados a las rocas del dolor y la amargura.

9.– Que se haga la Voluntad del Padre, porque la mía, no vale nada.

CAPÍTULO LV

1.– No olvides Hijo Mío que el Padre es el Anciano de los Días.

2.– El Íntimo no es sino el Hijo muy amado del Padre.

3.– El Anciano de los Días es tu Real Ser.

4.- Tú eres, el Anciano de los Días.

5.– El Anciano de los Días es aquél rayo de donde emanó tu Íntimo mismo.

6.– Hay tantos padres en el cielo, cuantos hombres en la Tierra.

7.– El Anciano de los Días es el rayo emanado del Absoluto.

8.– Ese rayo, es un Hálito para sí mismo, profundamente ignoto un Hálito del Gran Aliento.

9.– Todo el Gran Aliento, es el Ejército de la Voz. Es el Logos, la palabra creadora del primer instante.

CAPÍTULO LVI

1.– Escuchadme, ¡Oh, Buddhas! Escuchadme, Hijos. Escuchadme, Ancianos.

2.– Las aguas son el Semen Cristónico del Universo.

3.– Todo sale del Mar, todo vuelve al Mar.

4.– El Mar es el Semen del Universo.

5.– Ese Mar está en nuestras Glándulas Sexuales.

6.– Esas son las aguas del Génesis. Las aguas del Espacio.

7.– El Semen es el Mercurio de la Filosofía secreta, del Mulaprakriti de los Orientales, del Caos.

8.– Sólo hay una Substancia Infinita.

9.– Las combinaciones de la Substancia Infinita, son maravillosas. Esa Substancia Infinita, es el Semen Universal.

10.– Ese Semen es el Mar, es el agua de todo lo creado, es el Gran Océano de donde todo sale y todo vuelve. Es la Gran Vida.

CAPÍTULO LVII

EL SEXO

1.– El Cisne Simboliza el Amor.

2.– En el Edén los Cisnes de inmaculada blancura, sirven a la mesa de los Dioses.

3.- En el Edén los Cisnes de líbido plumaje elaboran dentro de sus buches inmaculados, manjares inefables que depositan entre las copas de los ángeles.

4.– Los ángeles beben manjares del Edén. Manjares divinos que el Cisne elabora entre su buche diamantino.

5.– El Cisne Kala-Hamsa flota sobre las aguas de la vida.

6.– Las combinaciones de la substancia infinita son maravillosas.

7.– Las Aguas Seminales se transforman en manjares inefables dentro del Buche del Cisne.

8.– Los continentes con todo lo que existe, salieron del mar, y volverán al mar.

9.– Los Elementales de los árboles también se aman.

10.– El lecho nupcial de estos seres inefables son las raíces de los árboles.

11.– Ellos se unen sexualmente sin derramar el semen.

12.– Así la semilla penetra en el vientre de la hembra.

13.– Cuando se cristaliza la vida, entonces aparece el fruto en las plantas.

14.– Así surge la vida del mundo etérico.

15.– El mundo etérico es el Edén. Del Edén nace la vida.

16.– Escuchadme ¡Oh, Buddhas! no derraméis vuestro Semen y volveréis al Edén.

17.– Todo sale del Sexo, todo sale del Amor.

18.– El Cisne simboliza el Amor. El Cisne se alimenta con Amor. Cuando uno de la pareja muere, el otro sucumbe de tristeza.

19.– Todas las vidas que palpitan son una sola gran vida escondida entre las aguas seminales de la vida.

20.– Hijitos Míos: Vosotros sois el sol y sois la hormiga, sois el árbol apacible y solitario, y el águila rebelde.

21.– Todos somos la Gran Vida que palpita en cada corazón.

22.– Esa Gran Vida Universal está escondida entre el Gran Océano Sexual del Amor.

23.– El Cisne de inmaculada blancura sirve a la mesa de los ángeles.

24.– El agua es el Semen.

25.– Las combinaciones de la substancia infinita son maravillosas.

26.– Hagamos la Voluntad del Padre así en los Cielos como en la Tierra.

Amén.

Samael Aun Weor

"Mucho se ha escrito sobre la Voluntad, pero jamás nadie había estudiado los grandes misterios de la Voluntad Universal."
Samael Aun Weor

ÍNDICE

ALGUNAS OBRAS ESCRITAS POR

Samael Aun Weor

- EL MATRIMONIO PERFECTO
- LA REVOLUCIÓN DE BEL
- EDUCACIÓN FUNDAMENTAL
- ROSA ÍGNEA
- CURSO ZODIACAL
- PSICOLOGÍA REVOLUCIONARIA
- LA GRAN REBELIÓN
- LA REVOLUCIÓN DE LA DIALÉCTICA
- LAS TRES MONTAÑAS
- EL MENSAJE DE ACUARIO
- TRATADO DE MEDICINA OCULTA
- LOS MISTERIOS DEL FUEGO
- NOCIONES FUNDAMENTALES DE ENDOCRINOLOGÍA Y CRIMINOLOGÍA
- MAGIA CRÍSTICA AZTECA
- MANUAL DE MAGIA PRÁCTICA
- TRATADO ESOTÉRICO DE ASTROLOGÍA HERMÉTICA
- EL LIBRO DE LOS MUERTOS
- EL MISTERIO DEL AUREO FLORECER
- LA DOCTRINA SECRETA DE ANAHUAC
- ANTROPOLOGÍA GNÓSTICA
- MISTERIOS MAYAS
- MISTERIOS MAYORES
- LA TRANSFORMACIÓN SOCIAL DE LA HUMANIDAD
- TRATADO DE ALQUIMIA SEXUAL
- GNOSIS EN EL SIGLO XX
- EL PISTIS SOPHIA DEVELADO